O ano em que Menos é muito Mais

Por 365 dias, parei de comprar, doei meus pertences, desliguei a TV e descobri o que realmente importa

CAIT FLANDERS

Tradução de:
Mayã Guimarães

Título original: *The Year of Less*

Copyright © 2018 by Cait Flanders

O ano em que menos é muito mais

1ª edição: Outubro de 2020

Direitos reservados desta edição: CDG Edições e Publicações

O conteúdo desta obra é de total responsabilidade do autor e não reflete necessariamente a opinião da editora.

Autora:
Cait Flanders

Revisão:
3GB Consulting

Tradução:
Mayã Guimarães

Capa:
Adaptada do projeto original de Kathleen Lynch

Preparação de texto:
Lúcia Brito

Diagramação:
Dharana Rivas

DADOS INTERNACIONAIS DE CATALOGAÇÃO NA PUBLICAÇÃO (CIP)

Flanders, Cait.
  O ano em que menos é muito mais / Cait Flanders ; tradução de Mayã Guimarães. – Porto Alegre: CDG, 2020.

  208 p.

  ISBN 978-65-87885-05-6
  Título original: The Year of Less

  1. Motivação 2. Consumo 3. Tomada de decisão 4. Finanças pessoais 5. Consumismo I. Título II. Guimarães, Mayã

20-3549   CDD 153.8

Angélica Ilacqua - Bibliotecária - CRB-8/7057

Produção editorial e distribuição:

contato@citadel.com.br
www.citadel.com.br

ELOGIOS PARA "O ANO EM QUE MENOS É MUITO MAIS"

"Se você já sentiu que a vida deve ser mais que consumismo e seu círculo vicioso, vai encontrar inspiração para se libertar em O ano em que menos é muito mais. A história pessoal de Cait é encorajadora, desafiadora e incrivelmente útil."

– **Joshua Becker,** autor de *The More of Less*

"Cait Flanders é uma mulher corajosa. Eu chorei enquanto lia. Mas meu coração também se encheu de alegria. Para qualquer pessoa que se sinta incapaz, a história de Cait mostra que não importa onde você começa, só para onde vai a partir daí."

– **Gail Vaz-Oxlade,** apresentadora de *Casamento em dívida* e autora de *Debt-Free Forever*

"O audacioso objetivo de Cait – um ano sem comprar – deu origem a um livro profundamente pessoal cheio de lições para todos nós sobre encontrar mais satisfação e significado na vida (sem toda a tralha!). Uma leitura transformadora para qualquer um que busque simplicidade em nosso mundo focado no consumidor."

Rachel Jonat, autora de *The Joy of Doing Nothing*

"O ano em que menos é muito mais é bonito, vulnerável e real. As palavras de Cait me inspiraram a ser mais corajosa no que escrevo e na vida, e tenho certeza de que vão inspirar você também."

– **Tammy Strobel,** autora de *You Can By Happiness (and It's Cheap)*

"Reduzir bens de consumo em minha vida abriu espaço para muita coisa boa ocupar o lugar que antes esses bens ocupavam. O ano em que menos é muito mais de Cait é inspirador... um exemplo poderoso de como reduzir posses pode ser transformador e como você pode levar isso um passo adiante."

– **Katie Dalebout,** autora de *Let It Out*

"Cait encontrou conforto no álcool, nos excessos alimentares e no consumo compulsivo, até que finalmente disse: 'Chega'. Esse não é outro livro sobre como viver com menos, mas é uma história desoladora, e depois animadora, que nos mostra que, se estamos dispostos a abrir mão das coisas de que pensamos precisar, podemos ter a vida que realmente queremos."

– **Courtney Carver,** autora de *Soulful Simplicity*

"Promover mudança significativa em sua vida exige tempo e esforço, e neste livro Cait compartilha uma visão profundamente íntima sobre como essa mudança pode ser importante. Se você procura inspiração e exemplos práticos de como adotar medidas para um futuro melhor para você e as pessoas que ama, *O ano em que menos é muito mais* vai lhe dar isso e muito mais."

– **Anthony Ongaro,** fundador da breakthetwitch.com

"Este livro é um presente. Um presente para quem sempre quis mudar, mas teve medo – medo de falhar, medo do que podemos descobrir sobre nós se nos despirmos de nossas camadas, e medo do que vai acontecer se não nos despirmos delas. Cait escreve com beleza e honestidade sobre o trabalho de criar uma vida com menos e dá a você permissão para sair do carrossel de consumo compulsivo e negligente e entrar na benevolência que está do outro lado."

– **Brooke McAlary,** apresentadora de *The Slow Home Podcast* e autora de *Destination Simple*

"Uma história inspiradora sobre como uma mulher superou os obstáculos do vício – em compras, álcool e comida – para criar uma vida orientada por objetivos. Você vai terminar a leitura pronto para mudar sua vida e entendendo por que consumir menos vai libertá-lo."

– **Elizabeth Willard Thames,** autora de *Meet the Frugalwoods*

Para minha família, e para Molly e Lexie.
Vou sentir saudade de vocês para sempre, meninas doces.

SUMÁRIO

INTRODUÇÃO — 9

1. JULHO: FAZER O INVENTÁRIO — 21
2. AGOSTO: MUDAR HÁBITOS DIÁRIOS — 37
3. SETEMBRO: ROMPER COM A TERAPIA DAS COMPRAS — 51
4. OUTUBRO: AMADURECER E SE AFASTAR — 67
5. NOVEMBRO: BLECAUTE E RECUPERAÇÃO — 83
6. DEZEMBRO: CRIAR NOVAS TRADIÇÕES — 95
7. JANEIRO: REESCREVER AS REGRAS — 107
8. FEVEREIRO: ABRIR MÃO DO FUTURO — 123
9. MARÇO: ANIMAÇÃO — 137
10. ABRIL: PLANEJAR A SAÍDA — 151
11. MAIO: ENCONTRAR-ME EM LUGARES INCOMUNS — 163
12. JUNHO: FAZER AS MALAS E MUDAR — 173

EPÍLOGO — **183**

SEU GUIA PARA MENOS — 187
FONTES — 199
COMUNIDADE — 201
AGRADECIMENTOS — 203
SOBRE A AUTORA — 207

INTRODUÇÃO

A ideia nasceu em uma trilha, como parecem nascer muitas das minhas ideias. Faltavam dois dias para o meu aniversário de 29 anos, e minhas amigas e eu decidimos comemorar com um fim de semana em Whistler. Estávamos fazendo uma trilha em volta do lago Cheakamnus, no parque Garibaldi Provincial, onde o tom azul-turquesa da água muda cada vez que um novo grupo de nuvens passa no céu. O assunto da nossa conversa mudava com a mesma frequência, variando de trabalhos e *hobbies* a amigos e relacionamentos.

Wendy havia ido morar recentemente com o namorado de anos, e Liz se preparava para fazer a mesma coisa com o dela. As duas falavam sobre os passos seguintes: comprar casas antes de os preços dispararem em Victoria, nossa cidade natal em British Columbia, e talvez ter filhos antes do casamento. Depois de trabalhar como editora-geral em uma *startup* de finanças por dois anos, opinei com todo o conhecimento que tinha, mas senti que essa era toda a contribuição que eu podia dar. Enquanto minhas amigas passavam ao estágio seguinte da vida delas, eu ainda trabalhava em mim mesma.

"E você, Cait, qual vai ser o próximo passo?", Liz perguntou. Era uma pergunta simples de uma das minhas amigas mais antigas. Liz e eu nos conhecemos no oitavo ano. Só frequentamos a mesma escola por um ano, mas um ano era tudo de que precisávamos. Ela morava na minha rua, e era comum sermos vistas andando entre minha casa e a dela para nos reunirmos em uma ou outra. Depois de todos esses anos, eu imaginava que ela podia ter esperanças de me ouvir dizer que também estava pronta para me acomodar. Porém, como me conhecia, ela provavelmente *esperava* ouvir que eu ia voltar a Toronto em breve para trabalhar, ou que me mudaria para mais uma cidade nova. Eu estava sempre me mudando.

Em vez disso, revelei uma ideia que me acompanhava a semana inteira.

"Tenho pensado em fazer uma experiência, passar um tempo sem comprar", respondi. "Talvez uns seis meses, ou até um ano."

Minhas amigas nem se surpreendiam mais quando eu fazia anúncios como esse. Nos três anos anteriores, eu tinha feito várias mudanças grandes em minha vida, inclusive a de assumir (e cumprir) o compromisso de acabar com minhas dívidas, cuidar da saúde e parar de beber. Também havia documentado de maneira pública essas mudanças em um *blog* (caitflanders.com, antes conhecido como "Blond on a Budget"), que comecei a escrever em 2010. Depois de dizerem "Legal!" e "Vai ser interessante!", elas me cobriram com uma lista de perguntas. Depois de ter feito a declaração em voz alta, senti a intenção se fortalecer e um plano começar a se formar. Falamos sobre como poderia ser o experimento, inclusive o que eu poderia e não poderia comprar.

Eu ainda não tinha todas as respostas. Nunca tinha todas as respostas quando começava um experimento. Da mesma maneira que não sabia que seria capaz de pagar trinta mil dólares em dívidas em dois anos ou perder 13,5 quilos em um ano, eu não imaginava que, ao longo dos doze meses seguintes, acabaria vivendo com 51% da minha renda, guardando 31% dela e viajando com o restante. Também não sabia que documentaria tanto dessa experiência em meu *blog*, ou que as histórias e lições que não documentasse *online* acabariam se tornando este livro. Tudo que sabia era que ainda não estava satisfeita

INTRODUÇÃO

com minha situação financeira, e queria começar a gastar menos e economizar mais dinheiro. É aí que essa história começa. É aí que *a maioria* das histórias começa.

Quando eu tinha nove anos, meus pais me levaram ao banco onde, juntos, abrimos uma caderneta de poupança infantil. A conta oferecia um caderninho para registrar meus depósitos e a subsequente movimentação da conta. O livrinho não era mais que dez páginas presas por dois grampos, mas tinha meu nome gravado e era muito importante para mim. Anotar números nele me fazia sentir adulta, responsável por algo maior que meus brinquedos. Ele ficava na gaveta da minha escrivaninha, entre a agenda escolar cheia de lições de casa e meu diário. Essa é a primeira lembrança que tenho dos meus pais conversando comigo sobre a importância de guardar dinheiro. Infelizmente, a novidade logo perdeu a graça, e eu perdi o caderninho, junto com o interesse por administrar minhas finanças.

Na adolescência, era comum chegar em casa depois da escola e encontrar minha cama coberta de recortes de jornal. Notícias sobre juros, planos de previdência para aposentadoria, mercado imobiliário e projeções financeiras eram recortadas e deixadas ali para eu ver. Isso era coisa do meu pai. Todas as manhãs, ele bebia um bule de chá preto tipo *orange pekoe* sentado à mesa da cozinha e lia o jornal de ponta a ponta. Se eu não estivesse sentada ao lado dele, de forma que meu pai pudesse pôr uma página na minha frente, ele recortava a notícia e a deixava sobre minha cama. "Leu aquele artigo?", perguntava logo depois de eu chegar da escola. "Vou ler mais tarde", eu resmungava sempre.

Mais tarde não acontecia com muita frequência, e meu pai sabia disso. Ele fazia o jogo das vinte perguntas sobre os artigos durante o jantar, e isso normalmente se transformava em um de seus discursos que pegava um exemplo simples e o transformava em algo radical. Era aí que, normalmente, eu me distraía. "Isso é importante, Caitlin!", ele dizia no momento em que meus olhos perdiam o foco. Eu sabia que ele estava bravo quando me chamava pelo nome inteiro. Ninguém nunca me chamava de Caitlin, a menos que a conversa fosse séria ou que eu estivesse encrencada. Mesmo assim, eu olhava para as árvores da pintura de Emily Carr na minha frente, assentia e repetia uma parte do que ele havia falado. Mas sempre começava com duas palavras para as quais meus pais reviravam os olhos: "Eu sei". Naquela época eu sabia tudo.

Por mais chato que o assunto parecesse naquele tempo, agora entendo que tive sorte por ser criada em uma família que falava sobre dinheiro. Na verdade, conversávamos sobre tudo. Quando seu pai é marinheiro, nenhum tema é considerado tabu. Desde o que você fazia no banheiro até o conselho honesto, mas às vezes grosseiro, sobre o que não fazer com os garotos no quarto, compartilhávamos todos os detalhes sujos uns com os outros, ou meus pais acreditavam que sim, pelo menos.

Porque, por mais honesta que fosse com minha família sobre algumas coisas, também havia muitas outras que eu não contava para eles. Quando eu era adolescente, meus pais pensavam que eu economizava o dinheiro que ganhava trabalhando como babá dos meus irmãos mais novos, mas nunca contei para eles que gastava a maior parte em álcool e drogas. Quando terminei o ensino médio e saí da casa dos meus pais, eles haviam me ensinado todas as regras básicas de como administrar minhas finanças, mas nunca contei a eles que estava endividada desde o dia em que recebi meu primeiro cartão de crédito. Meu pai parou de beber quando eu tinha dez anos, e ele sempre soube que eu bebia socialmente, mas nunca contei para ele que bebia sozinha ou que quase todo primeiro gole me levava à inconsciência,

INTRODUÇÃO

em algum momento. E minha família me via comer bem e caminhar muito, mas nunca contei para eles com que frequência comia chocolate no carro ou pedia *pizza* quando estava sozinha em casa.

Eu não estava mentindo só para minha família sobre essas coisas, estava mentindo para mim mesma, principalmente sobre tudo que isso estava causando à minha saúde física e mental. Quanto mais alta a fatura do cartão de crédito, menos eu dormia à noite. Quanto mais eu bebia, pior me sentia em relação a mim mesma. Quanto mais comia, mais engordava, o que também contribuía (ou melhor, prejudicava) para como eu me sentia em relação a mim mesma. E quanto mais eu fingia que essas coisas não estavam acontecendo, pior tudo isso ficava.

Depois de meses ignorando as faturas do cartão de crédito, finalmente olhei o total da dívida em maio de 2011 e percebi que estava perto dos trinta mil dólares. Para piorar a situação, eu tinha apenas cem dólares na conta-corrente e mais cem no limite do cartão, e tudo isso teria que durar seis semanas, até eu receber o pagamento seguinte. Na época, eu também tinha o maior peso que já atingi (94 quilos para os meu 1,70 metro de altura é considerado obesidade). E aos 25 anos, eu tinha acabado de voltar a morar no porão da casa dos meus pais depois de tentar ir trabalhar do outro lado do país e beber todas as minhas economias em apenas oito semanas.

O peso da dívida era esmagador. Durante semanas, chorei até dormir, sentindo que tinha perdido a chance de construir qualquer tipo de futuro financeiro sólido. Também me preocupava com a possibilidade de não poder superar a decepção que havia causado aos meus pais, e de não ter sido o exemplo de que meus irmãos precisavam.

Mas algumas lágrimas derramadas eram pelas coisas que eu sabia que teria que mudar. Já havia tentado parar de beber, mas nunca me mantive sóbria por mais que algumas poucas semanas. E o ponteiro da balança havia subido e descido mais vezes do que eu podia lembrar, mas esse número elevado era um novo fracasso para mim. A verdade era que eu não sabia tudo. Sabia um pouco, mas não o suficiente para me impedir de chegar ao lugar onde estava. Tinha atingido o fundo do poço, e não queria saber o que encontraria se continuasse descendo. Sempre tinha dito a mim mesma que um dia mudaria tudo, e "esse dia" por fim havia chegado.

Nos dois anos seguintes, paguei toda a minha dívida, assumi o controle da minha saúde, me mudei para Toronto e depois para Vancouver e parei de beber em caráter definitivo (depois de mais algumas tentativas fracassadas). Documentei em meu *blog* todas as mudanças que estava fazendo, o que me rendia mais e mais leitores a cada atualização. Não vou fingir que tudo isso foi fácil, e não posso dizer que segui todos os conselhos dos especialistas. Fiz apenas o que funcionou para mim. E sou grata por ter pessoas a quem devia satisfações.

Depois daqueles dois anos, eu deveria estar pronta para viver uma vida mais feliz e saudável. Havia trabalhado duro e provado que era capaz de fazer qualquer coisa a que me dedicasse com determinação. Em vez disso, retomei alguns velhos hábitos.

Não voltei a beber, mas voltei a gastar quase todo centavo extra que tinha. No começo pareceu inofensivo. Uns cinco dólares aqui, outros dez ali. Entrar em uma loja para comprar uma ou duas coisas e sair com cinco. Mas os valores subiram rapidamente à medida que passei a justificar o custo de sair para comer fora com mais frequência e comprar livros novos sempre que queria. Com o tempo, passei a viajar para visitar meus pais com mais frequência e, depois, a ter mais fins de ano com os amigos. Não vou negar que era bom. Depois de dois anos vivendo com um orçamento muito limitado, era bom recuperar um pouco de liberdade e flexibilidade, ser mais espontânea e poder me divertir um pouco. O que não era bom era nunca conseguir cumprir

INTRODUÇÃO

meus objetivos de poupança e depois ter que explicar aos leitores o motivo do fracasso.

Quando estava pagando minha dívida, eu costumava compartilhar meu orçamento experimental no começo de cada mês e postar os números resultantes no fim dele. Durante aqueles dois anos, houve meses em que comprometi 55% da minha renda com o pagamento da dívida. Foi um pouco agressivo, mas eu fazia o que fosse necessário para zerar a fatura. Quando esse dia finalmente chegou, me senti mais livre, mais leve, como se o mundo abrisse novas portas para mim. Pela primeira vez na vida, pude estabelecer objetivos reais de poupança, como reservar 20% da minha renda para a aposentadoria.

Era viável. Deveria ter sido viável. Mas era ainda mais difícil do que eu esperava. No primeiro ano em que fui supostamente "mais livre", continuei postando meu balancete no fim de cada mês, e era sorte quando conseguia anunciar que tinha poupado até 10%.

Não tive a ideia de adotar a proibição de compras, como chamei, da noite para o dia. A semente foi plantada uma vez por mês, no fim de cada mês, por doze meses seguidos. Cada vez que eu tinha que escrever uma atualização e justificar por que não havia conseguido poupar quase nada, dizia a mim mesma que poderia melhorar. Poderia economizar mais, e sabia disso. Só não sabia por onde começar a fazer as mudanças. Só quando toda a família Flanders estava sentada em volta da mesa, ouvindo um dos nossos costumeiros sermões sobre todas as coisas relacionadas ao dinheiro, tive meu momento eureca.

Depois de censurarmos de forma dura minha irmã Alli por ter gastado centenas de dólares de seu dinheiro suado em algo de que não precisava, na nossa opinião, ela deu uma resposta que parecia ter guardado para mim. "Economizo 20% do que ganho, posso gastar o resto no que eu quiser." Alli tinha só 20 anos, estava na universidade e trabalhava em regime de meio período, e havia descoberto o segredo antes de mim. Economizar primeiro, gastar o que sobrar. Mesmo assim, como irmã mais velha, senti que tinha que ir mais fundo. "Mas você mora em casa. Precisa realmente de 80% da sua renda, ou poderia viver com menos?"

Assim que terminei de falar, percebi o quanto as palavras eram hipócritas. E as engrenagens começaram a girar.

Essa conversa aconteceu uma semana antes da minha trilha em Whistler, e passei os sete dias seguintes analisando minhas contas e me fazendo perguntas muito sérias. *Se eu economizava no máximo 10% da minha renda, para onde ia o resto do dinheiro? Por que eu continuava inventando desculpas para os meus gastos? Precisava realmente de 90% do que ganhava, ou podia viver com menos?* Eu fazia perguntas semelhantes a mim mesma no fim de todos os meses por doze meses consecutivos, e ainda não tinha as respostas. Só sabia que, aparentemente, tinha tudo que queria em casa, na carreira e na vida, e era como se nunca fosse suficiente. Eu nunca estava satisfeita. Queria sempre mais. Mas, como nunca me contentava com mais de nada, talvez fosse hora de mudar e ir atrás de menos.

Quando voltei do fim de semana em Whistler, me sentei para escrever meus planos. As regras da proibição de compras eram simples: durante o ano seguinte, eu não poderia comprar roupas, sapatos, acessórios, livros, revistas, eletrônicos e coisas para a casa. Poderia comprar bens de consumo, coisas como comida, itens de higiene pessoal e combustível para o carro. Poderia comprar qualquer coisa relacionada na minha "lista de compras permitidas", que era um punhado de itens que sabia que poderiam ser necessários no futuro próximo. Também poderia substituir coisas que quebrassem ou acabassem e fossem absolutamente necessárias, mas só se me livrasse do objeto original. E ainda poderia ir comer fora de vez em quando, mas não poderia mais comprar o café para viagem, meu maior vício

INTRODUÇÃO

e algo em que não me sentia mais confortável gastando cem dólares ou mais por mês.

Ao mesmo tempo em que decidi que não poderia comprar nada novo, também decidi me livrar das coisas velhas que não usava. Uma olhada em qualquer canto do meu apartamento revelava que eu tinha mais do que precisava e não dava valor a nada daquilo. Queria começar usando o que já possuía. Queria sentir que tudo tinha um propósito e que qualquer coisa que eu comprasse no futuro próximo também teria um propósito. Se eu não conseguisse isso, aquele objeto teria que ir embora.

Antes de clicar em "Publicar" e anunciar meus planos aos leitores do *blog*, acrescentei uma linha que dizia: "Tomei decisões conscientes para acabar com a dívida, parar de justificar minha preguiça e eliminar a bebida da minha lista de *hobbies*. Porém, ainda não sou a consumidora consciente que gostaria de ser". Queria parar de fazer compras impulsivas e depois descobrir que tinha sido enganada por mais uma estratégia de *marketing* ou cartaz de venda. Queria parar de gastar dinheiro em coisas que achava que eram necessárias, só para chegar em casa e descobrir que já tinha mais que o suficiente. E queria muito parar de me convencer a comprar coisas que nunca usaria.

Queria chegar em um ponto em que só compraria coisas de que precisasse *quando* precisasse delas. Queria finalmente ver para onde ia meu dinheiro e viver dentro de um orçamento que fosse compatível com meus objetivos e valores. E queria muito começar a gastar menos e economizar mais. Mas isso nunca aconteceria se eu continuasse tomando decisões negligentes de consumo.

Eu começaria esse desafio na manhã seguinte: 7 de julho de 2014, meu aniversário de 29 anos e começo da minha trigésima viagem em torno do sol. E continuaria compartilhando numerosas atualizações em meu *blog* sobre o que havia aprendido durante o ano do menos. Tinha a ver com gastos, dinheiro. É aí que a história começa, e onde muitas histórias começaram. Mas havia muitas outras coisas que hesitei em compartilhar naquele ano, acontecimentos que tiraram de mim a vida que eu conhecia e me deixaram sozinha, ou melhor, me deixaram na cama por semanas, pensando em desistir de todas as mudanças positivas que eu havia feito. Durante o que deveria ter sido um ano mais simples no qual eu compraria menos, tudo que eu amava e com que contava foi tirado de mim, e fui obrigada a começar do zero e construir uma vida nova.

Não divulguei essas histórias no *blog* conforme foram acontecendo. Acredito que meus leitores teriam me apoiado, mas estava arrasada demais para formar frases. Cada vez que tentava, desabava e apagava o rascunho do *post*. Não conseguia falar sobre isso naquela época, mas quero compartilhar tudo agora – aqui neste livro, com você. Nos capítulos a seguir, vou conduzir o leitor pelo meu ano do menos conforme aconteceu. Ao longo do caminho, também vou levá-lo comigo por coisas que aconteceram nos anos e décadas anteriores. Só com essa informação você pode enxergar o panorama completo e entender por que o ano do menos foi tão importante. Ele me desafiou. Virou minha vida de cabeça para baixo. E depois me salvou.

INTRODUÇÃO

REGRAS PARA UM ANO DE PROIBIÇÃO DE COMPRAS

O QUE POSSO COMPRAR:

- » Alimentos e utensílios básicos de cozinha
- » Cosméticos e higiene pessoal (só quando acabar)
- » Produtos de limpeza
- » Presentes para outras pessoas
- » Itens da lista aprovada de compras

O QUE NÃO POSSO COMPRAR:

- » Café para viagem
- » Roupas, sapatos, acessórios
- » Livros, revistas, cadernos
- » Objetos para a casa (velas, decoração, móveis, etc.)
- » Eletrônicos

LISTA APROVADA DE COMPRAS:

- » Uma roupa para vários casamentos (um vestido e um par de sapatos)
- » Moletom (eu só tinha um com muitos buracos)
- » Calça de ginástica (estava usando a última)
- » Botas (não tinha nada adequado para outono/inverno)
- » Cama (a minha tinha treze anos e precisava muito ser substituída)
- » Também posso comprar qualquer coisa que tenha que ser substituída, mas o objeto original deve ser descartado ou doado

E tenho que assumir o compromisso no *blog*.

1

JULHO: FAZER O INVENTÁRIO

Meses sóbria: 18
Renda economizada: 20%
Confiança de que posso concluir esse projeto: 100%
(Mas ainda não tenho ideia de onde me meti)

Sempre fui maluca por limpeza. Quando era adolescente, meus pais nunca precisavam me mandar limpar o quarto. Tudo que era meu tinha um lugar, uma gaveta ou compartimento, e tudo se coordenava. As roupas no armário eram penduradas por tipo: regatas, camisetas de mangas curtas e camisetas de mangas compridas primeiro, depois calças, saias e vestidos no fundo. Até os livros nas prateleiras eram organizados por tamanho, depois pela cor da lombada.

No ensino fundamental, o interior da minha escrivaninha também era assim. Do lado direito, uma pilha de pastas era organizada pelas cores do arco-íris: vermelho em cima, rosa em baixo, com laranja, amarelo, verde, azul e violeta no meio. Do lado esquerdo, meu estojo de lápis ficava sobre o dicionário, que ficava em cima do livro de matemática. Dentro de um recipiente de plástico, eu conseguia guardar as borrachas em um canto, o corretor líquido no outro, e canetas e lápis extras enfileirados. Cheguei a manter todos os 24 lápis organizados por cor dentro da caixa.

Sempre que o professor nos dava um tempo para limpar nossas carteiras, eu ficava sentada olhando meus amigos sofrerem com a tarefa. Anotações amassadas, sacos plásticos de lanche e livros que deveriam ter sido devolvidos à biblioteca caíam no chão. Gemidos altos e suspiros profundos vinham de todas as direções, enquanto meus amigos tiravam todos os objetos da carteira, depois descobriam que precisavam encontrar um lugar para tudo aquilo. Nesses momentos, eu torcia em segredo para que pedissem minha ajuda, e tenho certeza de que reagia animada demais quando isso acontecia.

Mantinha esse padrão de organização em todos os espaços que chamava de meus. Os armários que usava, carros que dirigia, apartamentos onde morei, caixas onde deixava coisas guardadas e até nas carteiras e bolsas que carregava diariamente. Se você olhasse dentro de cada coisa que eu tinha, via organização – até ela desaparecer.

Comecei a perder as coisas na primavera de 2014. Minha regata verde foi o primeiro objeto que desapareceu. Foi a primeira regata verde que tive, e ela sempre esteve do lado direito da segunda gaveta na cômoda de três gavetas. Naquela manhã, abri a gaveta e me surpreendi quando não a vi lá. Procurei nas outras pilhas de regatas e camisetas que ocupavam o espaço, depois nas outras duas gavetas. Nada de regata

1. JULHO: FAZER O INVENTÁRIO

verde. Não estava no armário, nem no cesto de roupa suja, nem na lavadora ou na secadora. Tinha sumido, simplesmente, para sempre, engolida pelo mesmo monstro que sempre roubava minhas meias.

Depois disso, era como se eu nunca pudesse encontrar alguma coisa quando precisava dela. A embalagem fechada de creme dental que eu podia jurar que tinha guardado na caixa de produtos de higiene embaixo da pia do banheiro. O maiô cor-de-rosa do qual nem gostava, mas guardava, porque sabia que o preto se aproximava de seus últimos dias. E o abridor de latas. Eu era uma pessoa que tinha uma gaveta de utensílios e um abridor de latas dentro dela. Por que o abridor de latas não estava lá?

Quando procurava as coisas de que precisava, só encontrava tudo de que não precisava. As cinco regatas pretas que eram muito grandes agora que eu havia emagrecido treze quilos. O infinito estoque de loção e gel de banho que eu continuava alimentando, sem usar os produtos que já tinha. As roupas de verão e inverno que eu quase nunca usava em Port Moody, Colúmbia Britânica (B.C.) – uma das cidades de clima mais moderado no Canadá. Boa parte disso havia sido comprada com um de dois cartões de crédito na época em que eu aumentava minha velha dívida, mas nunca usei nada. Algumas peças ainda estavam com a etiqueta original.

Uma coisa que dívida e bagunça têm em comum é que, quando você começa a deixar a pilha crescer, pode ser cada vez mais difícil enxergar além dela. Ignorei minha dívida por meses, abrindo apenas um canto do envelope da fatura do cartão para ver o valor mínimo a ser pago. O truque funcionou por pouco tempo, até o dia em que olhei a fatura toda e vi que estava a cem dólares do meu limite. A conta era simples. Eu tinha me enfiado em um buraco tão fundo que a única opção era começar a sair dele.

A situação em relação à bagunça não era tão dramática. Quando entrava em meu apartamento, ele parecia tão arrumado quanto sempre estivera. As toalhas estavam dobradas, as roupas penduradas na ordem habitual e cada sapato guardado com seu par. Até meus livros continuavam organizados, só que agora por gênero – ficção, biografias, negócios e finanças pessoais – e depois por tamanho (e às vezes ainda por cor). O problema, de novo, era que eu ainda não usava a maioria deles. E me lembrava disso cada vez que tinha que passar por eles e olhar para eles.

A primeira vez que pensei nisso foi depois de me mudar cinco vezes em 2013. Todas as vezes, eu tirava caixas de um armário, levava para um caminhão, ia para a casa nova, levava as caixas para dentro e as colocava no armário novo – tudo sem nem olhar de verdade o que havia nelas. Fiz isso cinco vezes, por várias razões infelizes: uma vez porque me senti insegura depois que, quando estava em casa me recuperando de um acidente de automóvel, alguém tentou entrar no único apartamento de andar térreo em que já morei; outra vez, quando um velho amigo e parceiro recente de aluguel disse que queria se mudar para outra cidade apenas cinco dias depois de eu ter ido morar na casa dele. Foi um ano difícil.

A última mudança, em setembro de 2013, foi para esse apartamento em Port Moody. Eu só havia estado na cidade duas vezes antes, mas tinha me apaixonado rapidamente. Era longe o bastante do centro de Vancouver para ter aquele clima de cidade pequena, e se curvava em torno de uma enseada, de forma que o oceano estava sempre perto. Minha mesa ficava na frente de janelas panorâmicas voltadas para árvores e montanhas. Amigos sempre comentavam que era como se eu estivesse morando em um filme da saga *Crepúsculo*, o que não era uma comparação muito absurda, já que a maioria deles foi filmada na Colúmbia Britânica, com algumas cenas na própria Port Moody.

1. JULHO: FAZER O INVENTÁRIO

Para uma editora que trabalhava para uma *startup* de finanças em sistema de *home office*, esse apartamento e a vista que oferecia – e minha vida, em alguma medida – eram como um sonho que se realizava. Porém, só se pode passar algum tempo trabalhando em casa antes de notar o que mais ocupa seu ambiente: suas coisas. E embora as minhas fossem bem organizadas, ainda havia muita coisa, e muito que não servia para nada além de juntar poeira.

Queria poder dizer que a história sobre por que decidi me desfazer do acúmulo é mais interessante, significativa ou dramática, mas seria mentira. A verdade é que foi uma decisão tomada só depois de pensar que *eu deveria me livrar dessa tralha* inúmeras vezes. Do mesmo jeito que eu costumava pensar que *deveria parar de usar meus cartões de crédito*, ou *deveria parar de comer tanta porcaria*, ou *deveria parar de beber demais*. A desculpa que sempre dava a mim mesma era que "um dia" eu faria tudo isso.

Com o passar do tempo, um dia sempre chegava. Um dia em 2011, estourei o limite dos meus cartões. No mesmo dia em 2011, faltavam poucos quilos para eu ter que comprar na seção extragrande. Um dia em 2012, eu não queria acordar de outro blecaute alcoólico. Em todos esses casos, provavelmente teria conseguido encontrar maneiras de continuar com o mau comportamento. Poderia ter telefonado para as administradoras dos cartões de crédito e pedido limites mais altos, ou continuado comendo e bebendo muito e ignorado o que isso fazia com meu corpo e com meu espírito. Mas um dia eu soube que era hora de parar. As histórias que contava a mim mesma para permitir que esses maus hábitos se mantivessem por tanto tempo haviam chegado ao fim. Eu estava farta.

E um dia de julho de 2014, eu também estava farta, cansada de procurar entre todas as coisas de que não precisava uma única coisa de que precisava.

De todos os objetos que poderiam ter me levado ao limite e me inspirado a finalmente me livrar da tralha, o abridor de lata foi o que me motivou. O único problema era que: eu não conseguia encontrá-lo. Procurei em todas as gavetas e armários. Procurei na pia e na lava-louças. Procurei até no lixo reciclável, pensando que poderia tê-lo derrubado ali por acidente quando me desfiz da última lata que abri. Mas não estava em lugar nenhum.

Era a primeira semana de julho, e Vancouver estava no meio de uma onda de calor. As temperaturas se mantinham em torno dos 34°C e ultrapassavam os 40°C com a umidade. Eu morava no 22º andar de um prédio de cimento onde não havia ar-condicionado, o que só piorava as coisas. Estava com calor. Estava com fome. Estava frustrada. Tudo que queria era a porcaria da salada de feijão-preto, mas não podia comê-la. Em vez disso, tinha que me contentar com uma salada simples e minha coleção de 21 garfos para comê-la.

"Um dia" havia chegado, finalmente, e eu estava pronta para me livrar de tudo que enchia a gaveta de utensílios, e o resto do meu apartamento, e de que eu não precisava. E, como nos dias em que decidi começar a pagar minha dívida, comer melhor, me exercitar mais e até (por fim) parar de beber, mergulhei nisso de cabeça e sem bússola. Simplesmente me joguei.

Foi nesse dia que esvaziei todos os armários do quarto e da cozinha e cada gaveta do meu apartamento, jogando o conteúdo no chão de cada cômodo. Isso aconteceu alguns meses antes de *A mágica da arrumação*, de Marie Kondo, chegar às livrarias da América do Norte, mas, em essência, o método foi o mesmo. A casa limpa e arrumada onde sempre morei não existia mais. Agora eu estava no

1. JULHO: FAZER O INVENTÁRIO

meio de uma bagunça que não reconhecia, mas cada objeto nela era meu. Olhando para aquilo tudo, me senti esmagada pelo peso da tarefa que havia acabado de criar para mim mesma. *O que foi que eu fiz?* Quando você cria uma bagunça desse tamanho, no entanto, não tem alternativa senão arrumá-la. Era hora de começar a trabalhar.

Decidi começar pelo meu quarto, especificamente pelo guarda-roupa. Aquele parecia o cômodo mais fácil de arrumar porque, embora quase todas as mulheres que eu conhecia parecessem amar roupas e acessórios, eu não era uma delas, nunca fui.

Desde a adolescência, sempre tive um uniforme. Não um uniforme de verdade, como o que é exigido na escola particular, mas um visual. Variava um pouco todo ano. No oitavo, eu ainda vivia minha fase de moleque, e estava sempre de camiseta de times de basquete e calça esportiva. No nono ano, troquei as camisetas por moletons de capuz e as calças esportivas por *jeans*. O décimo ano pode ter sido o mais desconfortável para mim, porque foi quando tentei me vestir mais como "menininha". Esse visual incluía muito cor-de-rosa, que realçava o que havia de pior na minha complexão rosada. No primeiro ano do ensino médio, eu havia me transformado em menina surfista, com colar de conchas no pescoço e um Hyunday Excel branco ano 1991, que eu chamava de Roxy, estacionado na minha garagem. Só encerrei essa fase quando terminei a faculdade, em 2007, não antes de tatuar ondas azuis e "garota da ilha" em francês no meu ombro para completar o visual. Ah, a alegria de ter dezenove anos. E nos primeiros cinco anos da minha carreira, quando trabalhava para o governo, só usei calça social preta e suéter preto, e um casaco transpassado de tecido de lã preta e sapatilhas pretas.

Embora o visual tenha mudado muitas vezes ao longo dos anos, uma coisa não mudou: o fato de, a qualquer momento, eu provavelmente estar usando uma das três combinações, talvez, de que gostava. Quando tirei tudo do guarda-roupa e joguei no chão, essas combinações eram formadas por *jeans* ou calça cáqui e blusa larga ou suéter. Eu usava até a mesma camiseta e calça capri para ir à academia todos os dias. Juntando tudo, alternava entre vinte peças de roupa no total (sem contar meias e peças íntimas). E eu sabia. Sabia que usava a mesma coisa muitas vezes, dia sim, dia não. Mas não vi isso até esvaziar o armário e as gavetas e olhar para as pilhas de tecido no chão.

Havia regatas que só combinavam com alguns suéteres específicos. Suéteres que não me caíam bem ou não cobriam o suficiente. Vestidos que não cabiam em mim, mesmo depois de emagrecer treze quilos, mas que eu amava porque, no passado, eles haviam realçado minhas curvas nos lugares certos. As roupas de "menina gorda" que eu achava que deveria guardar, caso engordasse de novo. Várias peças que tinha comprado porque estavam em liquidação. E as roupas do governo, como eu as chamava: as calças sociais e os suéteres escuros, e o casaco transpassado no qual sempre me senti nadar. Era tudo meu, mas eu não reconhecia aquelas coisas, porque não usava a maior parte delas.

Livrei-me de quase tudo. Não pensei duas vezes diante de nenhuma peça. Se não havia usado a roupa nos últimos meses, ela ia embora. Se não caía bem, ia embora. As roupas de quando eu era mais magra iam embora, porque me apegar a elas não me motivava a perder mais peso. Só me desanimava e impedia de gostar do meu novo corpo e reconhecer quanto eu havia melhorado. Se um dia emagrecesse mais, compraria vestidos novos que realçariam minhas novas curvas nos lugares certos. Então, as roupas de quando eu era mais magra tinham que ir. E eu sabia que nunca mais voltaria ao mundo

1. JULHO: FAZER O INVENTÁRIO

corporativo, o que significava que as roupas do governo também poderiam ir. Enchi quatro sacos pretos de lixo com roupas, casacos, sapatos, bolsas e cachecóis para doação. As poucas peças que não estavam em bom estado foram para o lixo. Tudo que restou foi um armário com uma dúzia de cabides, mais ou menos, e uma cômoda de três gavetas ocupada pela metade. Não era muito, mas era o que a verdadeira eu usaria.

Foi nesse ponto que decidi começar a registrar quanta coisa eu estava mandando embora. Eu registrava o pagamento da dívida, o programa de exercícios, a perda de peso e até os meses de sobriedade. Agora também faria um registro disso. Não seria para nada, no começo, além de saciar minha curiosidade. Depois de ver 55% do meu guarda-roupa ir embora, percebi que isso seria grande, e queria ver os números.

O cômodo seguinte foi o escritório, que também era minha sala de estar e, tecnicamente, minha sala de jantar, e até a cozinha. O conceito de espaço aberto do apartamento significava que, ao entrar, você via tudo ao mesmo tempo. Quando esvaziei os armários, as prateleiras e as gavetas desse espaço, joguei tudo no assoalho laminado de madeira da sala de jantar. Eu não tinha mesa e cadeiras de jantar, um sinal claro de que a moradora vivia ali sozinha e comia sentada no sofá. Em vez disso, tinha uma sala com uma vista do nascer do sol de tirar o fôlego, a mais linda que eu já havia visto até então, e uma gigantesca pilha de tralha no meio dela.

Essa confusão foi difícil de resolver. Fez as roupas parecerem fáceis. Para começar, na sala de estar, as prateleiras tinham mais que páginas que continham palavras. Elas abrigavam dezenas de bugigangas. Objetos inanimados que haviam sido presentes da família e de amigos durante anos, e até alguns que eu mesma tinha comprado. Também havia projetos que eu tinha me comprometido a desenvolver quando comprei a câmera e os álbuns de fotografias, ou papel e tinta, necessários a eles.

    Os livros não eram diferentes. Minha mãe começou a ler para mim antes de eu nascer, sussurrando as palavras para sua barriga cada vez maior. Ela sempre dizia que consegui ler sozinha aos quatro anos de idade. Só acredito nela porque tenho prova de que, aos cinco, cataloguei minha pequena coleção de livros infantis e criei uma biblioteca acessível a todas as crianças do nosso bairro. Os livros eram numerados de um a dez, e eu usava um caderno para registrar quem estava com o quê. Ninguém ia perder um daqueles valiosos bens sob a minha supervisão.

    Como a maioria dos escritores, sempre tive um livro na minha frente. Na adolescência, não consigo lembrar quantas vezes acordei de manhã para ir para a escola e encontrei a luz do quarto ainda acesa e o livro caído no chão. Também houve o desastroso acidente da infecção de garganta no nono ano, quando levei para a cama um picolé de laranja e esqueci de comer a outra metade antes de ele aliviar a dor de garganta. Acordei com um livro mergulhado em líquido cor de laranja e com uma mancha da mesma cor, do tamanho de uma bola de futebol, no lençol branco. Não é surpreendente que minha roupa de cama tenha sido trocada por outras de cores mais escuras logo depois disso.

    Sempre adorei livros e amei ler. Mas sempre tive o péssimo hábito de comprar mais livros do que vou ler em um mês, ou mesmo em um ano. Um dos meus muitos gastos excessivos e impensados no passado foi decorrente de comprar dois livros *online*, em vez de um, para somar US$ 25 e não ter que pagar o frete. E até o primeiro livro era quase sempre uma compra impulsiva. Eu ficava sabendo de alguma coisa por um amigo, ou *online*, corria no *site*, encontrava outra coisa que parecia interessante e acrescentava ao carrinho, tudo para reduzir

1. JULHO: FAZER O INVENTÁRIO

a zero aquela desagradável taxa de frete e entrega. Fiz isso uma vez por mês, pelo menos, por quase uma década, provavelmente. Com uma média de US$ 26 por pedido, isso dá US$ 3.120 e 240 livros. Acho que li uns cem deles.

A única coisa boa de todas essas mudanças em 2013 foi que elas me mostraram quantos livros não lidos eu tinha e sabia que não queria mais lê-los. Alguns eram livros de autoajuda sobre coisas para as quais eu não precisava mais de ajuda. Outros eram clássicos que eu pensava que deveria ler, mas que sempre me faziam dormir. E outros ainda eram para os projetos que eu nunca desenvolvi. Livrei-me da maioria deles durante as mudanças, ou era o que eu pensava.

Quando me dediquei aos livros durante essa limpeza, descobri que ainda tinha 95. Decidir o que guardar e o que doar não foi fácil, mas me comprometi a ser honesta comigo mesma. Eu iria *realmente* ler esse livro algum dia? Se a resposta fosse sim, eu o devolvia ao seu lugar na estante. Se a resposta fosse não, eu o colocava em uma sacola. Depois de tomar essa decisão 95 vezes, guardei oito livros que já tinha lido, mas ainda amava, e 54 que não tinha lido, mas acreditava que leria um dia. E doei 33 livros (35% do total) para a Biblioteca Pública de Port Moody. Se eu não os leria, queria que alguém os lesse.

Separar coisas como material de escritório não foi fácil, porque eu não tinha mais do que precisava de nada, exceto canetas. Por alguma razão, eu tinha 36 canetas. Ninguém precisa de 36 canetas. Mantive oito, que ainda era um número alto, provavelmente, e dei as outras a um amigo que era professor. Juntando algumas caixas, pastas e cadernos velhos, removi 47% dos objetos desse espaço.

A cozinha também foi um cômodo surpreendentemente fácil, ou talvez nem tão surpreendentemente, de arrumar. Ela já era bem minimalista. Eu tinha só algumas xícaras, canecas e travessas que achava demais. Mantive todos os utensílios, exceto o liquidificador, que acho que nunca usei. Também vendi a centrífuga depois de descobrir a quantidade de açúcar que entrava no meu organismo com os sucos. Natural ou não, eu não precisava disso. Acrescentei metade dos meus livros de culinária à sacola de livros que ia levar para a biblioteca. Mesmo com a melhor das intenções, eu nunca os tinha usado. E depois de reduzir o número de garfos que mantinha na gaveta de talheres, me livrei de 25% do que tinha antes.

Finalmente, abri os armários no banheiro e encontrei três sacolas cheias de cosméticos. Joguei o conteúdo na pia e vi os respingos dos produtos na bancada. Tinha os frascos de loção e gel de banho que eu não parava de comprar, mas também tinha embalagens pequenas. Xampus e condicionadores que peguei em vários hotéis. Amostras que ninguém pede para receber pelo correio, mas que quase sempre são guardadas para "não irem para o lixo". Produtos dados por parentes e amigos que decidem que não gostam deles, mas acham que você pode gostar. Mais uma vez, mesmo com a melhor das intenções, nunca usei a maioria deles. Da mesma forma que sempre usei um uniforme, sempre tive uma rotina de beleza minimalista, e essas coisas não faziam parte dela. Esvaziei as embalagens de produtos vencidos ou usados, depois pus em uma sacola o que podia ser doado para um abrigo de mulheres. No total, me livrei de 41% dos meus cosméticos, e o restante coube em uma sacola que ficou embaixo da pia do banheiro.

Depois de terminar de limpar cada cômodo, as únicas coisas que faltavam eram as caixas. As caixas que tirei de um *closet*, pus em um caminhão, levei para outra casa e guardei em um novo *closet*, cinco vezes, sem nunca ter olhado o que havia nelas.

A primeira continha 30 DVDs, 30 CDs e uma fita cassete. Colocar 57 desses 61 objetos de volta na caixa para doação foi quase um reflexo. Não tenho mais um aparelho onde possa tocá-los. Por isso eles não tinham um propósito e precisavam ir embora. Doar os últimos quatro

1. JULHO: FAZER O INVENTÁRIO

exigia mais esforço: meus dois filmes favoritos da infância e os dois primeiros CDs que comprei. Eram coisas que imaginava ver com meus filhos um dia, ou ouvir quando eu tivesse meus oitenta anos e balançar a cabeça para quanto pareceriam bobas. Mas o mundo já era um lugar diferente, e todas essas coisas podiam ser encontradas *online*. Nunca esqueci aqueles filmes e aquelas músicas, e tinha certeza de que nos encontraríamos de novo. Os 61 itens tinham que ir embora.

Só então hesitei. Olhei para a caixa. Estava encostada à parede, perfeitamente alinhada às sacolas que eu tinha enchido, tudo pronto para ir para um novo lar. Olhei, olhei de novo e tive que abrir a caixa de novo para ver mais uma vez o que havia dentro dela. Eu iria mesmo me livrar de tudo aquilo? Podia ouvir a voz do meu pai. A mesma voz que ele usava quando percebia que eu não estava usando alguma coisa que ele e minha mãe tinham me dado. "Gastamos dinheiro nisso!" Seus surtos de culpa sempre partiam meu coração.

Agora eu estava aqui, me preparando para mandar embora sacolas e caixas cheias de objetos meus. Tinha gastado um bom dinheiro nessas coisas. CDs e DVDs não eram baratos, especialmente na época em que comprei alguns deles, quando ganhava pouco mais que um salário mínimo. O único conforto era saber que esses, pelo menos, foram usados. A maioria dos livros não foi. Projetos foram abortados. Roupas foram usadas só uma vez, algumas nem isso. Cosméticos guardados e esquecidos até ser tarde demais. Tudo desperdiçado. Dinheiro desperdiçado, sonhos desperdiçados, oportunidades desperdiçadas. Era quase o suficiente para me impedir de doar tudo aquilo. Mas olhar dia sim, dia não para o dinheiro, os sonhos e as oportunidades desperdiçadas era mais doloroso. Todos os objetivos tinham que ir embora.

Dentro da segunda caixa, encontrei mais caixas. Embalagem oficial de um console de vídeogame, dois *modems* e uma caixa de cabos, mais quatorze cabos e fios aleatórios. A maioria havia sido gratuita em algum momento, peças de operadores de TV a cabo e internet ou doações de amigos. Eu venderia o console e doaria o resto.

A última caixa era uma espécie de arca secreta do tesouro disfarçada de papelão, e só eu sabia o que ela continha. Embaixo de álbuns de fotos, meus diplomas e uma sacola de álbuns escolares, havia duas garrafas. Uma era uma garrafa vazia de tequila que um dia esteve cheia com a bebida aveludada que alguns amigos trouxeram do México, uma forma de agradecer por eu ter cuidado da casa e do gato. Colado na frente da garrafa havia um bonequinho, um homem deitado em uma rede tirando o cochilo da tarde. E foi exatamente assim que bebi tudo que havia nessa garrafa anos atrás: à tarde, no meu quintal, depois de um longo dia de trabalho. *Isso é vida*, eu pensava cada vez que o líquido escorria por cima da minha língua.

A segunda garrafa não era de tequila e não era do México. Era de rum e fora comprada em uma loja local por um preço bem barato. Nunca foi aberta. Da mesma maneira que me sentia culpada por doar coisas nas quais tinha gastado dinheiro, odiei a ideia de me desfazer do rum quando parei de beber. Sim, era barato. Mas um dia teve valor para mim, e cumpriria seu propósito, se eu deixasse. Não eram essas qualidades que os especialistas em limpeza de tralha diziam que devem ter os objetos que você guarda? É claro, agora era só uma garrafa com um líquido que eu não podia pôr no meu corpo, e eu sabia disso.

Havia guardado o rum pelo mesmo motivo pelo qual guardara cada vestido, livro, DVD e cabo: "caso um dia" eu precisasse. Caso eu tivesse uma semana ruim no trabalho. Caso alguém me magoasse de novo. Caso eu precisasse relaxar e ter uma noite divertida. Caso eu quisesse esquecer. Caso eu decidisse que essa coisa de viver sóbria não era para mim.

Também era um teste, um teste ridículo que eu nunca permitiria que alguém que eu amava fizesse, mas a que me submetia mesmo assim.

1. JULHO: FAZER O INVENTÁRIO

Na maior parte dos dias, eu esquecia que havia uma caixa no *closet* do meu quarto e que embaixo dos álbuns de fotos, diplomas e álbuns da escola guardados nela eu encontraria uma garrafa fechada de rum branco. Mas me lembrava da caixa ali sempre que me via em uma dessas situações da categoria "caso um dia". O dia ruim no trabalho, nada sério. Levou algum tempo, mas aprendi a importância do exercício físico e do ar fresco para anular esse efeito. Era mais a mágoa; a mesma mágoa que, mais tarde, me fazia sentir falta de diversão e agitação. Como a coceira que me induzia a comprar livros sempre que queria, eu sentia falta de uma bebida quando ficava triste. Muito triste, bem deprimida. O rum estava sempre ali. O teste era mantê-lo ali.

    Analisar o conteúdo dessa última caixa foi fácil, porque eu sabia que guardaria tudo, menos as duas garrafas. Elas não podiam ficar. A vazia tinha cumprido seu propósito, e eu não precisava lembrar que propósito era esse. A garrafa cheia precisava ser esvaziada, mas não no mesmo buraco onde eu havia despejado o conteúdo da outra garrafa. Dessa vez, o líquido foi para a pia da cozinha. Enquanto o despejava, disse adeus ao dinheiro desperdiçado, aos sonhos desperdiçados, às oportunidades desperdiçadas. Ou era o contrário, talvez. Talvez fosse o começo do dinheiro preservado, dos sonhos preservados, das oportunidades preservadas.

Quando terminei, havia empacotado e doado 43% das minhas coisas, o suficiente para encher meu Kia Rio 5 do assoalho do banco do passageiro até o porta-malas e o teto duas vezes. Duas viagens aos diversos centros de doação depois, todos os objetos estavam fora da minha vida de uma vez por todas.

Ao mesmo tempo em que registrava de quantos itens estava me desfazendo, pensei em anotar o que tinha mantido. Separar e tocar cada coisa que eu tinha me mostrou quanto eu já possuía, o que me servia como um lembrete visual toda vez que eu sentia vontade de suspender a proibição de compras. Mas decidi rever tudo isso e fazer um inventário físico de cada coisa no meu apartamento, de forma que pudesse consultar quanto já tinha em casa antes de comprar mais. Uma coisa era pensar que tinha um desodorante extra embaixo da pia, outra era saber que havia quatro, ou nenhum.

Depois disso, vendi os últimos objetos caros com os quais poderia ganhar alguns dólares: uma câmera cara que nunca usei e um velho *laptop* que também mantinha "caso um dia" meu equipamento mais novo parasse de funcionar. Abri uma conta-poupança separada, onde poderia depositar todo o dinheiro ganho com a venda das coisas, e também todo o dinheiro que poupava mensalmente deixando de comprar café para viagem, e dei a ela o nome apropriado de "Proibição de Compras". O dinheiro depositado nessa conta ficaria guardado um ano inteiro, ou poderia ser usado para comprar coisas da lista de compras aprovadas.

No fim do mês eu me sentia bem, como se já houvesse feito muito. Minha casa parecia mais leve, de algum jeito. Havia mais espaço para viver e respirar. Se o resto do ano fosse tão fácil quanto havia sido essa limpeza e remoção, eu não teria problemas para cruzar a linha de chegada. É claro que eu sabia que não seria. Mudar um hábito e uma rotina que foram aperfeiçoados durante uma década nunca é fácil. Tudo que tinha feito havia sido instalar os trilhos que me levariam aonde eu queria ir. O trabalho de verdade me esperava além da primeira curva. Eu sabia que era só uma questão de tempo até chegar lá. Afinal, não era a primeira vez que eu tentava consumir menos.

2

AGOSTO: MUDAR HÁBITOS DIÁRIOS

Meses sóbria: 19
Renda economizada: 19%
Total de objetos eliminados: 43%

A primeira vez que fiquei bêbada foi com meu pai biológico. Também foi a primeira vez que o encontrei e a última que o vi. Eu tinha apenas doze anos.

Intencionalmente, escolhi não compartilhar muitas histórias de bebedeira no meu *blog*. Não que eu tivesse medo do que as pessoas pensariam sobre mim, mas não queria ser uma fonte de entretenimento. Sempre odiei a ideia de compartilhar essa história, em particular, porque não queria que minha *família* fosse uma fonte de entretenimento. Isso também não é um indicativo de como fui criada. Infelizmente, é a verdade, e me levou a começar a beber em uma idade na qual a maioria das crianças está pensando em brincar com amigos ou ganhar no jogo de futebol.

Meus pais biológicos nunca se casaram. Para ser bem honesta, nunca foram um casal. Alguns encontros levaram a um teste de gravidez cujo resultado positivo mudou a vida da minha mãe para sempre. Ele não quis se envolver na situação e literalmente fugiu do país, tendo se mudado para os Estados Unidos antes de eu nascer. Ela aceitou a notícia e escolheu ser minha mãe e me deixar ser sua filha. Enfatizo a palavra *escolheu* porque, aos meus olhos, essa é uma decisão que ela teve o direito de tomar (embora diga que eu fui um presente). Ela escolheu que nós duas seríamos uma família, e mais tarde escolheu que meu padrasto se juntaria a nós. A título de informação: vou me referir ao meu padrasto como pai ao longo deste livro, porque isso é exatamente o que e quem ele é.

Pensando bem, uma das coisas pelas quais mais sou grata em minha criação é que minha mãe nunca me apresentou a nenhum namorado até conhecer meu pai. Mesmo então, depois de sete anos sendo só nós duas, não posso dizer que estivesse aberta à ideia. Na verdade, odiava que alguém estivesse entrando em nosso apartamento e ocupando o espaço na cama dela, o lugar para onde eu ia sempre que tinha um pesadelo. Aquele era o meu travesseiro. Meu cobertor. Minha cama. Minha mãe.

Minha mãe e meu pai se conheceram em 1992, e em 1995 estavam casados e haviam aumentado nossa família de três para cinco pessoas. Oito anos mais velha que minha irmã, Alli, e dez anos mais velha que meu irmão, Ben, eu enfrentava desafios únicos. Nosso pai passou meio ano viajando pela costa da Colúmbia Britânica com a Guarda Costeira do Canadá, um tempo durante o qual meu papel mudou de irmã mais velha para terceiro pai. Eu ia buscar "as crianças" na escola, as levava para a prática esportiva, fazia o jantar, cuidava

2. AGOSTO: MUDAR HÁBITOS DIÁRIOS

da roupa, ajudava a limpar a casa e assim por diante. Embora alguns adolescentes se revoltem e rejeitem essas tarefas, eu assumia o papel com orgulho.

Quando eu tinha doze anos, meu pai biológico entrou em contato com minha mãe para avisar que iria a Victoria, o lugar onde nasci e onde eles se conheceram. A mãe e o irmão dele ainda moravam lá, e ele ia visitá-los, mas queria saber se nós três poderíamos jantar. Ela me perguntou o que eu sentia em relação a isso. A resposta: indiferente. Estava curiosa, é claro. Minha opinião sobre ter sido criada por uma mãe solteira era que eu sempre tive o melhor dela, mesmo sendo uma só. Minha mãe trabalhava duro para nos sustentar, e, com ela e meu pai, nunca senti falta de nada e sempre soube que era amada. Mesmo assim, queria saber quem era essa criatura mítica que tinha ajudado a me dar vida. Concordamos com o encontro.

Minha lembrança daquela noite é clara, mas cheia de confusão. Clara porque ainda consigo lembrar cada momento, da mesma forma que nos lembramos da estranheza de um primeiro encontro ou primeiro beijo. Mas cheia de confusão porque nunca entenderei onde ele estava com a cabeça quando me pôs nas situações que criou.

A conversa durante o jantar foi casual. Onde vocês moram agora? Em que você trabalha? Como vai sua família? Coisas superficiais. Ouvi em silêncio enquanto eles conversavam, falavam sobre mim e depois falavam comigo. Eu não sabia o que dizer. Que criança de doze anos saberia? Até aquele momento, minha vida havia girado em torno de amigos, livros, basquete e garotos. *Ele realmente queria saber sobre essas coisas?*

Em vez disso, fiquei em silêncio e olhei para ele enquanto conversavam, examinando cada detalhe de seu rosto e comparando-o ao meu. Seu cabelo era loiro. O meu também. Minha mãe, meu pai, Alli e Ben tinham cabelo castanho-escuro, e eu era sempre a diferente.

Essa parte minha era dele, pensei. Tínhamos o mesmo nariz. Também notei que seu lábio superior ficava mais fino quando ele sorria, jogava a cabeça para trás e ria. Sempre odiei que o meu desaparecesse quando eu fazia essas mesmas coisas. Agora sabia de quem era a culpa.

Quando nos preparávamos para ir embora, ele perguntou a minha mãe se podia me levar para tomar sorvete no centro da cidade. Meu pai biológico era fotógrafo *freelancer* e queria tirar algumas fotos da cidade que um dia havia chamado de lar. "Sentir a *vibe*, é isso!" Era assim que ele falava, usando palavras como *vibe, hype, man* e *é isso*, com um sotaque que era metade inglês e metade sul-africano. Eu não sabia o que pensar disso, exceto que era tudo muito sofisticado para meus ouvidos adolescentes. Minha mãe perguntou se eu queria ir. Achei que seria mais constrangedor recusar, então entrei no carro dele e fomos na direção sul para Quadra Street, rumo ao Inner Harbour.

O que eu não entendia naquele momento era que ele nunca teve a intenção de me levar para tomar sorvete. Em vez disso, depois de xingar e resmungar porque não encontrava um lugar para estacionar no centro, ele me levou ao bar mais antigo de Bastion Square, e nós nos sentamos no balcão. Lá ele pediu para o garçom cuidar de mim, piscou, sorriu e desapareceu.

Tive a impressão de que ele me deixou ali por horas, mas não devem ter sido mais que trinta minutos. Nesse período, o garçom me serviu duas bebidas que mais tarde descobri serem margaritas de limão. A primeira tinha gosto de raspadinha do 7-eleven. Bebi depressa olhando para a televisão, esperando que, quanto antes eu terminasse, mais depressa poderíamos ir embora. Quando ele pôs a segunda bebida na minha frente, tudo parecia meio brilhante e eu sentia meu corpo quente por dentro. Quando meu pai biológico finalmente voltou do encontro com amigos, ele percebeu que eu estava bêbada. "Um café com uísque deve dar um jeito nela, *man*!", ele gritou para o garçom.

2. AGOSTO: MUDAR HÁBITOS DIÁRIOS

Bebi um gole, cuspi de volta na caneca preta e perguntei se ele podia me levar para casa.

Aquela viagem de carro ainda pode ser descrita como a situação mais desconfortável que já vivi. Durante vinte minutos, ele me fez perguntas como "Como é seu padrasto?" e "Acha que você, sua mãe e eu algum dia seremos uma família?". Eu olhava pela janela e via carros e casas passando, enquanto mordia a língua para segurar o choro e rezava para o deus disponível me ajudar a chegar logo em casa e voltar para minha família. De repente, só conseguia pensar em como nunca queria viver sem Alli e Ben. Meus meios-irmãos. Meus únicos irmãos.

Minha mãe devia estar sentada na frente da janela esperando por mim, porque, assim que paramos na frente da garagem, ela abriu a porta da frente e saiu. Eu saí do carro, ele acenou para ela e foi embora no velho e enferrujado Buick branco que tinha pegado emprestado da mãe. Ela ficou parada no alto da escada, olhando para mim enquanto eu cambaleava na direção da entrada. A mistura de concreto e vidro cortou minha mão quando me apoiei na parede da casa e subi lentamente cada um dos dez degraus até o topo. Quando finalmente cheguei à porta, vi o horror no rosto de minha mãe. Foi a primeira vez que ela olhou para mim daquele jeito, mas não seria a última. Entrei em casa ainda me apoiando nas paredes, e segui assim até chegar ao meu quarto, quando me soltei e caí na cama.

Não sei todos os detalhes do que aconteceu depois disso. Só lembro de estar deitada na cama e ouvir minha mãe berrando pelo telefone da cozinha. Ela telefonou para o meu pai biológico, depois ligou para o bar que tinha servido bebida alcoólica para mim e ameaçou ligar para a polícia. A piada de mau gosto era que o irmão dele era responsável pela delegacia vizinha à prefeitura onde minha mãe trabalhava. A prova de como Victoria era pequena. Eu nunca tinha visto o irmão dele, o que também prova quanto uma cidade pequena pode ser grande. Mas sabia que ele ficaria sabendo da história no dia seguinte. Ela disse isso ao telefone.

Ouvi da minha cama e vi os pôsteres de Jonathan Taylor Thomas na parede girarem pelo quarto, até que fechei os olhos e me afastei de tudo aquilo.

A parte mais infeliz dessa história, talvez, não é que tenha acontecido, mas que eu a tenha usado como um distintivo de adulta anos mais tarde.

Em Victoria, o sistema escolar público era dividido de tal forma que as crianças só frequentavam duas escolas: o fundamental (do jardim da infância ao sétimo ano) e o ensino médio (do oitavo ao último ano). Pouco depois da minha primeira experiência com o álcool, fiz treze anos e entrei no ensino médio. Lá formei um novo grupo de amigos, basicamente meninas do oitavo ano e meninos do nono.

Como faz a maioria dos adolescentes aflitos, trocávamos todas as histórias de guerra da infância. Vários dos meus novos amigos tinham pais divorciados, e alguns tinham padrastos ou madrastas que diziam odiar. Alguns também tinham pais que usavam álcool e drogas, usavam tanto que até os filhos sabiam que aquilo não era saudável. Mas ninguém usava essas coisas ainda, exceto alguns meninos que roubavam cigarros ou uma lata de cerveja da geladeira. Quando fiquei sabendo de tudo isso, percebi que tinha uma oportunidade de me destacar.

Na infância nunca fui muito boa em nada. Fiz parte do time de basquete no sexto e no sétimo anos mas só ficava na quadra alguns poucos minutos por partida. Era sempre a última escolhida para os times na aula de educação física. Também não era exatamente "bonita" naquela época, tinha cabelo muito curto e gordura acumulada na barriga e no quadril. Nada em mim era muito digno de atenção.

2. AGOSTO: MUDAR HÁBITOS DIÁRIOS

Porém, tinha uma vantagem sobre a maioria dos meus novos amigos: fui a primeira da turma a ficar bêbada.

"Nesse verão, saí com meu pai biológico e fiquei muito bêbada!", contei, como se esse fosse o ponto alto. Depois descrevi os drinques com detalhes, como se fosse uma grande conhecedora de coquetéis, e concluí: "Devíamos beber juntos algum dia!". E assim, sem mais nem menos, eu não só era "descolada" na opinião daquelas pessoas, como também era uma das líderes do bando.

Logo começamos a beber todos os fins de semana. Um dos meninos do nono ano tinha um amigo que tinha um irmão mais velho que comprava bebida para nós às sextas-feiras. Reuníamos um grupo de dez ou quinze e íamos sentar na arquibancada ao lado da escola para esperar a encomenda especial. A *minivan* aparecia na mesma hora toda semana, às seis da tarde nas noites escuras de inverno, às oito na primavera, e passávamos as horas seguintes consumindo dois litros de uma bebida de maçã e andando pelo campo de beisebol como se fôssemos os donos do lugar.

Eu não sabia, mas passaria os quatorze anos seguintes bebendo pelos motivos errados. Beberia para me sentir uma versão mais legal de mim mesma, alguém de quem as pessoas pudessem gostar de verdade. Usaria o álcool como um lubrificante para situações sociais desconfortáveis, em especial encontros e sexo. E beberia para entorpecer minhas inseguranças. Mas não sabia disso naquele momento. Tudo que sabia era que era boa naquilo. Era boa em arrumar bebida. Era boa em beber. Era boa em acompanhar os meninos e nunca vomitar por causa da bebedeira. Era boa em festejar.

Passei do consumo de bebida alcoólica uma ou duas vezes na semana durante o ensino médio para três ou quatro noites por semana depois dos vinte anos, e apagava de tanto beber quase sempre.

Havia dois tipos diferentes de apagão. Primeiro, havia as noites em que eu passava uma ou duas horas fora do ar. Tinha que perguntar aos amigos que horas havíamos saído da festa ou o que meu caso do momento havia me dito nas mensagens de texto. Eu apagava todas elas antes de ir para a cama, porque não queria encontrar de manhã as provas das coisas ridículas que pudesse ter escrito. Esses apagões não eram tão ruins. Uma ou duas horas fora do ar não me incomodavam.

E havia noites em que eu esquecia tudo *depois* de uma ou duas horas. Bebia todo o álcool disponível como se fossem tirá-lo de mim. A última lembrança era sempre alguma coisa divertida, como cantar na rua a caminho de uma festa ou chegar lá e abraçar todos os amigos. Então eu acordava de manhã, normalmente na minha cama, mas às vezes no sofá de alguém, com seis ou mais horas de tempo perdido.

Eu odiava esse tipo de blecaute. Odiava a sensação de ter que especular o que podia ter bebido, cheirado, comido ou feito. Odiava o buraco no estômago sugerindo que eu podia ter feito ou dito alguma coisa idiota, talvez alterado um dos meus relacionamentos. Odiava não saber. E mesmo assim, continuei bebendo desse jeito por quatorze anos.

Li em algum lugar que as pessoas tentam desistir das coisas até doze vezes antes de finalmente desistirem de vez. Isso com certeza é verdade para a minha relação com a bebida.

A primeira vez que pensei em ficar sóbria foi na manhã depois de uma festa de Natal e despedida na casa de uma amiga. Ela estava de partida para a Tailândia, onde passaria quatro meses. Para o bota-fora com estilo, bebemos cerveja tailandesa, rum com especiarias e *eggnog*, uma gemada com leite e rum, uma combinação nojenta,

2. AGOSTO: MUDAR HÁBITOS DIÁRIOS

mas que parecia apropriada para aquelas nossas versões de vinte e poucos anos. Éramos quinze ou mais escorregando pelo assoalho da cozinha, dançando de meias enquanto a banda do pai dela tocava ao vivo para nós.

Acordei na manhã seguinte completamente vestida e na cama, sem saber como tinha chegado lá. Precisei de quatro dias e dezenas de conversas com amigos para entender o que havia acontecido. Aparentemente, chamei um táxi, depois dormi na calçada enquanto esperava por ele. Algum tempo mais tarde, os pais da minha amiga me encontraram, me tiraram do chão e puseram na *van* da família. Eu devia preservar o mínimo necessário de coerência para dar a eles o endereço da casa dos meus pais, para onde eles me levaram e onde me puseram na cama. Eu não me lembrava de nada disso. Qualquer pessoa poderia ter me tirado da rua naquela noite.

No começo do novo ano, escrevi um cartão para os pais que haviam me encontrado e agradeci pela ajuda. Também manifestei a culpa e a inquietação de não saber exatamente o que tinha acontecido, e contei que planejava nunca mias beber. "Faz três semanas, e não bebi nem uma gota", escrevi com franqueza. Mas comecei a beber de novo pouco depois, e não tentei parar pelos cinco anos seguintes.

Em 2011, minha decisão de Ano-Novo foi não beber durante um ano inteiro. Acho que durou 23 dias. Em fevereiro daquele ano, tirei licença do emprego e viajei para o outro lado do país em uma tentativa de construir uma vida nova. Em vez disso, bebi todas as minhas economias em apenas oito semanas e gastei meus últimos US$ 350 em um voo de volta para Victoria com cerca de US$ 30 mil em dívidas de consumo no cartão. Àquela altura, eu *tinha* que diminuir o ritmo e beber com menos frequência. Mas, sempre que podia comprar uma garrafa de vinho de US$ 10, comprava e bebia até o último gole, normalmente em uma hora.

No verão de 2012, um relacionamento longo terminou de um jeito muito arrasador. Passei a frequentar muito mais festas para esquecer tudo isso. Mas à medida que o verão continuava, eu soube que meus dias de bebedeira estavam contados. Como com o pressentimento em 2011 de que eu estava cada vez mais perto de estourar o limite do cartão, uma vozinha dentro de mim ficava dizendo que eu não podia mais fazer aquilo comigo. Os motivos pelos quais eu bebia tanto se tornaram tão óbvios que eu não podia mais ignorá-los. Bebia para me sentir uma versão mais legal de mim. Usava álcool como lubrificante para situações sociais desconfortáveis, em especial encontros e sexo. E bebia para entorpecer minhas inseguranças e a dor. Nada havia mudado desde que eu era uma adolescente.

No fim de agosto daquele ano, fui convidada para ser editora-chefe de uma *startup* de finanças em Toronto. A CEO tinha lido meu *blog*, gostado do meu trabalho e sabia que eu adorava a cidade. "Quer vir para cá?", ela perguntou. Mal sabia que eu estava desesperada por uma vida nova. Aceitei a oferta, me demiti do emprego estável em uma estatal, enfiei minhas coisas em duas valises e embarquei em um avião três semanas mais tarde.

Comemorei minha chegada saindo com amigos. Depois celebramos alguns aniversários, e eu até saí com os novos colegas de trabalho uma noite. Mas, ao mesmo tempo, a voz dentro da minha cabeça ficava mais alta. Eu sabia exatamente o que estava fazendo: fingindo estar feliz e empolgada por morar em Toronto, enquanto tentava mascarar quanto ainda me afetava profundamente o término do que pode ser descrito como um dos relacionamentos mais importantes da minha juventude. Eu não queria sentir a dor, mas nem o álcool conseguia mais entorpecê-la.

A dor dominou todos os aspectos da minha vida e também expulsou dela todos os bons hábitos que eu havia construído. Estava gastando mais de novo e fazendo escolhas alimentares ruins. E não conseguia lembrar a última vez que tinha saído para correr ou ido à academia. Quando o verão deu lugar ao outono, eu soube que a única coisa que podia mudar tudo era parar de beber definitivamente. Dessa vez, até escrevi sobre isso no *blog*, em um *post* cujo título era "Parei de dar desculpas (de novo)". Pensei que escrever sobre isso e clicar em "publicar" me obrigaria a manter o compromisso. Havia funcionado quando estourei o limite do cartão e quando decidi ser saudável, então me ajudaria a parar de beber também, certo?

Quarenta e cinco dias depois, bebi duas cervejas em um *show* e me joguei em um surto de seis semanas que incluiu passar a maior parte da minha primeira viagem à cidade de Nova York apagada, me ver em diversas situações desconfortáveis envolvendo homens, pagar uma conta de US$ 450 e descobrir, quando acordei em uma manhã, que tinha perdido a calça *jeans* que usava e voltado para casa de vestido.

Tentei parar de beber muitas vezes, mas não cheguei ao fim da linha até realmente chegar ao fim da linha. Esse dia aconteceu quando eu tinha 27 anos. Depois de acordar de mais um apagão, lembrando apenas fragmentos de mais uma situação complicada na noite anterior, eu soube que a hora havia chegado. A situação não era mais problemática que nenhuma das anteriores, mas eu estava disposta a fazer dela a última. Tem um limite para quantas vezes uma pessoa acorda e diz "não posso continuar desse jeito", e eu sabia que havia esgotado minha cota.

A parte mais difícil de parar de beber não era não poder beber, era não poder beber quando me via naquelas situações sociais desconfortáveis, quando me sentia insegura ou rejeitada, o que, na verdade, acontecia com frequência. Eram as situações em que um sentimento que eu havia me acostumado a odiar e depois mascarar com álcool não podia mais ser encoberto. As semanas ruins no trabalho que eram esquecidas apenas depois de uma ou duas garrafas inteiras de vinho. A rejeição dos homens que eu só deixava de lado depois de seis latas de fermentado de maçã e seis doses do que estivesse barato no bar. Eu não conseguia mais afogar tudo isso. Tinha que sentir o desconforto, sentir a vontade de beber, depois superá-la e encontrar um jeito novo de lidar com a situação.

Menos de dois anos mais tarde, um mês depois de ter começado o período de proibição de compras, passei a ver as semelhanças entre abrir mão do álcool e abrir mão do café para viagem. Embora a bebida escolhida fosse aparentemente inofensiva, deixar de beber meu *latte*, o que podia acontecer até duas vezes por dia, era como abrir mão da(s) minha(s) taça(s) de vinho à noite. Nunca imaginei que sentiria tanta falta do café.

Nos dias em que acordava cansada demais até para abrir os olhos, a primeira coisa em que pensava era no *latte*. De algum jeito, me vestir e descer para a cafeteria que havia embaixo do meu prédio parecia mais fácil do que ir até a cozinha fazer o café. Pensava nele no meio da manhã, quando queria fazer um intervalo no trabalho. A voz em minha cabeça dizia que eu merecia. E pensava nele antes de fazer algum serviço ou sair para viajar de carro. Não sabia quantos hábitos tinha relacionados a beber café para viagem, até me proibir de comprá-lo. Cada vez que sentia vontade, eu tinha que ficar no momento, prestar atenção ao que havia provocado o desejo e mudar minha reação.

Abrir mão do café para viagem foi, é claro, muito mais fácil do que parar de beber. Eu nunca poderia fingir que foi diferente. Quando sentia falta de um *latte* de manhã, tudo que tinha que fazer era ir até

2. AGOSTO: MUDAR HÁBITOS DIÁRIOS

a cozinha de casa e usar a prensa francesa. Às vezes comprava uma embalagem de calda de avelã e tentava fazer um *latte* caseiro. E antes de entrar no carro para viagens mais longas, eu enchia a garrafa de água e a caneca portátil de café e as levava comigo. Depois de fazer essas coisas um número suficiente de vezes, elas se tornaram novos hábitos. No meio de agosto, eu me sentia bem em relação às mudanças que estava fazendo.

Nem sempre pude dizer a mesma coisa no início do período de sobriedade, e nem sempre pude dizer a mesma coisa sobre a proibição de comprar ainda não posso. Durante anos, pensei que precisava de álcool para tornar minha vida melhor. Não pensava em comprar todos os dias. Não pensava nem em comprar toda semana. Mas, de repente, eu me via aflita por alguma coisa que não queria segundos antes.

Tinha ouvido falar de um bom livro, e de repente estava na página da livraria. Ou entrava em uma loja para comprar um rímel que tinha acabado e notava as fileiras de sombras de dizendo que, provavelmente, eu não estava usando a cor certa e precisava experimentar algo novo. Não sabia o que era *BB cream* (e ainda não sei direito, na verdade), mas cada propaganda me dizia que ele tornaria minha pele perfeita, e comecei a pensar que precisava disso. Daí notava a echarpe ao lado do moletom que estava pensando em comprar (e fazia parte da lista aprovada de compras) e decidia que era bem o meu estilo. Talvez também precisasse dele! É claro que não precisava, e não comprava nada daquilo.

A parte mais difícil de não poder comprar nada novo não era não poder comprar nada novo, era ter que enfrentar de forma física meus gatilhos e mudar minha reação a eles. Sempre tive a sensação de que o instante em que esquecia a proibição de compras era o mesmo em que me sentia propensa a comprar de novo. Era como um ex do qual não conseguia me afastar.

Em cada caso, eu parava, examinava o ambiente e tentava entender por que estava pensando em comprar alguma coisa. Às vezes era por estar perto de um computador, e abrir um *site* de compras *online* era fácil. Outras vezes era a publicidade ou o cheiro da loja. Mais frequentemente, porém, era só porque isso era o que eu sempre havia feito. No passado, sempre que queria alguma coisa, eu a comprava, sem perguntas, mandando para o inferno orçamento e metas de economia. Para combater esses impulsos agora, a única coisa que eu conseguia pensar em fazer era lembrar de quanta coisa tinha me livrado e quanto ainda tinha em casa. Era o suficiente. Eu tinha o suficiente.

Só quando me via nessas situações eu percebia que a proibição de compras seria mais difícil do que eu pensava. Isso seria mais do que simplesmente não gastar dinheiro, seria mudar hábitos e rotinas que eu havia passado anos aperfeiçoando.

Cada estudo que li sobre quanto tempo demora para mudar um hábito dá uma resposta diferente. Uns dizem que pode ser feito em 21 dias, outros em 66 dias ou até doze semanas. Para mim, quase dois meses depois do começo da proibição, eu ainda identificava constantemente meus gatilhos de gasto e os superava, enquanto, ao mesmo tempo, tentava entender por que existiam. Isso não me surpreendia, e ainda não surpreende. Pergunte a qualquer dependente quanto tempo levou para ele parar de sentir que sua droga preferida (álcool, drogas, comida ou outra coisa qualquer) era a única que o ajudaria em determinada situação, e garanto que nenhum vai responder 21 dias.

No fim de agosto, a proibição de compras tinha 56 dias, e eu ainda sentia meus maus hábitos de gastos escondidos atrás de minhas boas intenções. Havia aprendido quais eram meus hábitos diários, ou a maioria deles, mas estava prestes a descobrir que minhas decisões relativas a gastos eram mais emocionais do que eu pensava.

3

Setembro: romper com a terapia de compras

Meses sóbria: 20
Renda economizada: 12% (viajei o mês todo)
Confiança de que posso concluir esse projeto: 60%

Quando você ouve a expressão *comprador compulsivo*, pode imaginar uma mulher de salto alto, carregando muitas sacolas de compras cheias de roupas, sapatos e maquiagem. Foi isso que sempre imaginei, provavelmente porque é isso que a mídia e as histórias populares nos mostram. Existem livros sobre compradores compulsivos. Uma série inteira de livros sobre compradores compulsivos. Filmes sobre compradores compulsivos. E a ilustração de capa é sempre a mesma: uma mulher de salto alto carregando muitas sacolas de compras cheias de roupas, sapatos e maquiagem.

Por essa razão, nunca me identifiquei com o termo. Além do carro que financiei, a maioria de minhas dívidas foi resultado de comer fora e sair muito, viver uma vida que eu não podia bancar, mas que meus cartões de crédito tornaram possível. Não foi resultado de compras. De vez em quando eu ia ao *shopping* com amigas, mas não era um dos meus passatempos habituais. Eu tinha alguns gastos negligentes, comprava livros de que não precisava e voltava de uma loja com cinco objetos, quando tinha ido comprar só dois. Mas não usava salto alto, e nunca voltei para casa com sacolas cheias de roupas, sapatos e maquiagem. Então, eu não era uma compradora compulsiva... certo?

É fácil olhar para a imagem de um estereótipo, apontar o dedo para ela e dizer: "Não gosto disso, então não sou assim". Ao fazermos essa declaração, de alguma forma nos sentimos melhor em relação a nós mesmos, apesar de termos constrangido todas as outras pessoas que se encaixam no rótulo. Eu podia não me identificar como uma compradora compulsiva, mas era. Sem dúvida nenhuma.

Eu era uma compradora compulsiva de tudo, na verdade, inclusive comida e álcool. Não sabia nem como interromper uma sequência de horas diante da televisão, coisa em que desperdiçava todo o resto do meu tempo aos vinte e poucos anos quando não estava na rua me acabando. Também não me identificava como alcoólica, embora um profissional da saúde provavelmente tivesse me considerado uma em dado momento da minha vida. Costumava mentir sobre quantas doses tinha bebido, mentia sobre quanto tinha gastado e mentia sobre como havia pagado todas essas contas, sempre em dinheiro, nunca com o cartão de crédito, porque "podia pagar". Com relação às minhas compras, repetia as mesmas mentiras e dava as mesmas desculpas. Eu também era alguém que, de vez em quando, era vítima

3. SETEMBRO: ROMPER COM A TERAPIA DAS COMPRAS

da armadilha da terapia das compras e comprava coisas tentando me sentir melhor. Beber era o truque mais comum. Mas quando coisas grandes aconteciam, coisas que puxavam meu tapete, me derrubavam de joelhos e me obrigavam a tentar levantar com dificuldade, era então que eu causava o maior estrago nas minhas finanças comprando o que não podia pagar, na verdade. Para mim, essas coisas importantes costumavam ser rompimentos.

Algumas semanas antes de eu decidir instituir a proibição de compras, comecei a sair com alguém. Tinha conhecido Andrew em junho, quando estava em Toronto. Eu ainda trabalhava para a *startup* de finanças baseada naquela cidade, a empresa pela qual tinha trocado meu emprego em uma estatal em 2012 (embora então trabalhasse remotamente e visitasse a cidade com frequência), e ele era contador. A aproximação começou por causa do nosso amor pelos números e por planilhas, e logo encontramos um ritmo confortável e descobrimos que ríamos juntos. Apesar de morarmos a milhares de quilômetros de distância, criamos uma conexão instantânea que, decidimos, valia a pena explorar.

 A fase da lua de mel foi maravilhosa, como sugere o nome. Andrew vivia em um fuso horário diferente, três horas na minha frente, e eu acordava todas as manhãs com uma mensagem atenciosa que terminava com um coração ou um beijo. Conversávamos durante horas pelo telefone tarde da noite, e combinávamos encontros pelo Skype durante os quais jantávamos e assistíamos aos mesmos filmes em preto e branco ao mesmo tempo. Depois de um mês desse jeito, ele perguntou se eu estava saindo com mais alguém, ou se poderíamos fechar a relação. Eu estava nas nuvens. Se estivéssemos juntos pessoalmente, imaginei que ele me pegaria nos braços e giraria no ar três vezes, e nosso beijo romântico de filme em preto e branco teria selado a decisão.

Além de ele ser um doce, uma das coisas de que mais gostava em Andrew era que ele não tinha medo de fazer perguntas delicadas e começar conversas difíceis sobre coisas que muita gente evita, em especial no começo de um relacionamento. Falávamos sobre salário e rede de associados. Falávamos sobre nossas crenças, as religiosas e as políticas. Tivemos diversas discussões sobre minha sobriedade e o que ela significava para mim. (Ele bebia socialmente, o que eu tinha descoberto que seria uma característica de qualquer parceiro que eu tivesse.) E falávamos muito sobre nossos relacionamentos anteriores, chegando à raiz de onde as coisas tinham dado errado e por que tudo havia terminado.

Andrew nunca escondeu que era divorciado. Havia passado mais de uma década com a ex, e eles se casaram porque esse parecia ser o passo seguinte mais lógico. Mas a relação logo desmoronou, e acabou com Andrew traído por ela. Ele poderia atribuir à ex-esposa toda a culpa pela situação. Muitas pessoas teriam feito isso. Eu teria feito, acho, se estivesse no lugar dele. Em vez disso, ele falou sobre sua parte nos acontecimentos, como havia tratado o relacionamento como algo garantido e como se fechava durante qualquer conflito. A partir dessa experiência, ele havia aprendido que votos não eram só palavras. Eram as atitudes que faziam deles compromissos.

Durante nossas conversas, suas revelações pessoais costumavam me abalar, não por causa de coisas que ele dizia sobre mim, mas porque suas histórias me faziam pensar nas minhas. Eu tinha lembranças do último relacionamento sério, recuperava memórias que havia bloqueado. Imagens do meu ex, Chris, me empurrando sobre a cama e segurando um travesseiro sobre meu rosto enquanto gritava comigo.

3. SETEMBRO: ROMPER COM A TERAPIA DAS COMPRAS

Ou me empurrando contra a parede quando eu tentava ir embora, ou pegando a chave e me trancando para fora do nosso apartamento, me impedindo de entrar. Pela primeira vez em anos, também lembrei algumas das minhas reações a essas coisas. Não eram bonitas, e eu não era perfeita. Tinha guardado todas essas lembranças no fundo de uma caixa, a que ficava guardava em um canto da minha mente, escondida atrás de lembranças de todas as coisas boas que haviam acontecido desde que rompemos: voltar a estudar, me formar em comunicações, conseguir um emprego do outro lado do país, pagar minha dívida, assumir o controle sobre minha saúde, parar de beber, e assim por diante. As conversas com Andrew me ajudaram a enxergar a verdade, porém: Chris não era o único culpado pelo que havia acontecido conosco. Eu também tinha me tornado a pior versão de mim mesma naquele relacionamento.

Sempre que fazia uma descoberta como essa, eu tinha a sensação de que Andrew estava segurando um espelho diante do meu rosto. Por meio das nossas conversas, ele me ajudava a ver coisas sobre mim que deviam ser dolorosamente óbvias para todo mundo à minha volta, mas que eu nunca tinha notado antes. Como ele, descobri que tinha a tendência a me fechar durante um conflito. Também abria mão de meus interesses e opiniões com muita facilidade. Aceitava qualquer amor que me dessem, certa de que era o máximo que podia ser. E depois que o relacionamento com Chris acabou, passei a dizer a mim mesma que ficar sozinha era uma escolha intencional, porque assim eu poderia me concentrar em mim e no meu trabalho. Mas quando alguém segura um espelho na sua frente, você é obrigado a enxergar a verdade: eu tinha me fechado para a ideia de namorar por medo de passar por tudo aquilo de novo. Deixava os amigos se aproximarem, mas mantinha a guarda alta para que os rapazes não pudessem nem me ver. Namorar não era uma opção, simplesmente. Eu não era uma opção.

Andrew descobriu todas essas coisas sobre mim enquanto eu mesma as descobria, e nada disso o afugentava. Na verdade, em meio a essas conversas profundas, ele fazia planos. Nós fazíamos planos. Planos de verdade. Como organizar as visitas que faríamos um ao outro nos seis meses seguintes (uma visita a cada seis semanas) e decidir como dividiríamos o custo do nosso relacionamento à distância (quem viajasse pagaria a passagem aérea, quem hospedasse pagaria o restante). Eu sentia saudade dele todos os dias, mas não tinha dúvidas. Sentia que isso poderia ser algo importante, de fato.

Viajei para passar uma semana com ele no Dia do Trabalho, e adotamos imediatamente uma rotina que teria feito qualquer observador pensar que estávamos juntos por anos. Dividíamos o espaço da cozinha, ele cozinhando, eu limpando. Quando íamos ao mercado, eu lembrava de todas as coisas de que precisávamos e ele não havia incluído na lista. Ficávamos de mãos dadas ou massageando as costas do outro sempre que estávamos lado a lado. Até o jeito como nos aninhávamos no sofá lembrava duas peças de um quebra-cabeça que enfim haviam sido encaixadas. Tudo parecia perfeito, *isso pode mesmo dar em alguma coisa*, pensei, até a noite anterior à minha partida.

Andrew estava quieto, o que era incomum. Ele se acomodou no sofá como sempre, com a cabeça em meu colo e os braços à minha volta. Mas não falou nada enquanto assistíamos a um filme, e nada depois que o filme acabou, e nada quando fomos para a cama. Naquela noite não fizemos sexo. Ele não deitou de conchinha comigo nem me puxou para perto, como havia feito em todas as noites anteriores. Em vez disso, deitou-se encolhido de lado, de costas para mim. Era um muro. Ele havia erguido um muro. Diante de um conflito que parecia não se sentir confortável para abordar, ele se fechava, e agora

3. SETEMBRO: ROMPER COM A TERAPIA DAS COMPRAS

havia um muro entre nós. Deitada de costas, fiquei olhando para o teto, pensando no que poderia dizer para derrubá-lo. *Devo perguntar se está tudo bem? Não falo nada e me aninho perto dele? Tomo a iniciativa para ver se sexo ajuda?* Decidi que a segunda opção era um bom começo, mas, antes que eu pudesse me mover ou dizer uma palavra, ele começou a roncar. Eu tinha perdido a oportunidade de derrubar o muro. E assim, me deitei encolhida, de costas para ele, e deixei as lágrimas correrem em silêncio. Não sabia que era possível se sentir sozinha estando na cama com alguém, até aquele momento.

Durante o trajeto para o aeroporto naquela manhã, eu soube que havia acabado. Não sabia por que, não sabia o que havia acontecido, mas sabia que aquilo era o fim. Não parecíamos duas pessoas que tinham acabado de passar uma semana juntas. Estávamos tensos, e a conversa parecia a de dois colegas falando sobre amenidades depois de uma reunião.

"Gostou do tempo que passou aqui?", ele perguntou.

"Sim, estou contente por ter vindo."

Mordi a língua ao sentir as lágrimas inundando meus olhos. Queria fazer muitas perguntas, mas tinha pavor das respostas. A ideia de ter que lidar com outra decepção amorosa doía o suficiente. Ele sabia. Baixei a guarda com ele, e ele sabia. Não estava preparada para ser magoada de novo. Então me fechei. Não era a atitude mais adulta, mas foi o que fiz. Levantei meu muro e não disse nada.

Quando chegamos ao aeroporto, ele não soltou o cinto de segurança e não desceu para me abraçar. Só se inclinou e me beijou. Foi forçado, e desejei imediatamente que pudéssemos reverter o beijo. Peguei minhas coisas e me despedi, sabendo que talvez aquela fosse a última vez que nos víamos.

Durante as semanas seguintes, Andrew e eu continuamos nos comunicando por mensagens de texto, mas não era a mesma coisa.

Eu acordava todas as manhãs esperando ver uma de suas mensagens atenciosas com um beijo, mas nunca as encontrava. Eu sempre perguntava sobre o dia dele, o trabalho, a família e os amigos. As respostas eram curtas, quase sempre me machucavam mais do que a falta de notícias. Mas eu ainda estava com medo demais para perguntar qual era o problema. Não estava preparada para ouvir a resposta, então não fazia a pergunta. A única coisa que me fazia esquecer como era solitário estar em um relacionamento praticamente inexistente por mensagens era minha apertada agenda de viagens.

Depois da visita à casa de Andrew, fui a Kingston, Ontário, para o casamento da minha chefe. Imediatamente depois disso, voltei a Vancouver, peguei meu carro e minha amiga Kasey e partimos para uma viagem de fim de semana. Seguimos pela I-5 para Portland, Oregon, onde passamos três dias bebendo café e comendo, visitando restaurantes como se estivessem em nossa lista de coisas para fazer antes de morrer. Café no Stumptown, *brunch* no Tasty n Alder, jantar no Pok Pok e sorvete no Salt & Straw. Se tivéssemos morrido de verdade naquele fim de semana, teríamos partido de barriga cheia e com um sorriso no rosto. Eu também teria morrido com o celular na mão, porque não conseguia parar de olhar para ele e pensar se Andrew ainda voltaria a mandar uma de suas costumeiras mensagens de texto. Odiava estar nessa situação. Odiava ter me tornado a mulher que ficava sentada esperando por um homem. Mas esperei e esperei, e fiquei olhando o celular esperando por mensagens. Elas nunca chegaram.

Dois dias depois de Kasey e eu voltarmos de Portland, embarquei em mais três voos para uma conferência em New Orleans (a maldição de morar na costa oeste do Canadá é que sempre pego vários voos para chegar a algum lugar.) Mandei uma mensagem para Andrew para avisar que tinha chegado bem, algo que ele sempre me pedia para fazer quando eu viajava, e que estávamos novamente no

3. SETEMBRO: ROMPER COM A TERAPIA DAS COMPRAS

mesmo fuso horário. As respostas foram mais animadas, nossa conversa foi mais longa. Depois de um tempo perguntei se podíamos falar pelo telefone, e ele concordou. Mas a calorosa troca de cumprimentos durou só alguns minutos antes de esfriarmos de novo, e cheguei ao limite. Para o inferno com os muros que nós dois tínhamos erguido. "O que está acontecendo?", perguntei. "Por que está tão distante?" Com algumas frases curtas, ele disse o que eu tinha sentido desde a noite anterior à minha partida de sua casa: ele não queria um relacionamento sério. Apesar de ter sentido esse momento por semanas, as palavras o tornaram real, e eu fiquei arrasada. Passei as primeiras 24 horas do meu período em New Orleans no quarto de hotel, encolhida embaixo das cobertas.

Quando saí da cama, me senti grata por estar em uma cidade nova com amigos do país todo. Entre palestras e atividades da conferência, andamos por todo o Quarteirão Francês e fomos ao Parque Louis Armstrong. Deixamos círculos de açúcar em cima da mesa depois de tomar café e devorar muitas porções de carolinas do lado de fora do Café du Monde pela manhã. Almoçamos muffulettas da Central Grocery & Deli e jantamos *jambalaya* e *po'boys*. E, é claro, tinha o *jazz*, muito *jazz* à noite na Bourbon Street.

Porém, por maior que fosse minha gratidão por estar em NOLA (New Orleans) e por estar com amigos, nunca conseguia me distrair o suficiente para fazer a dor desaparecer. O tempo todo me pegava querendo fazer alguma coisa que pudesse animar meu dia ou diminuir um pouco o peso que carregava. Frequentemente, essa "alguma coisa" a que recorria era pensar em algo que eu pudesse comprar. Porque é isso que acontece quando a dor está presente. Você tenta dar um jeito nela e resolver todos os outros problemas de sua vida, até as coisas que nem são problemas de verdade.

Começou como uma agenda diária. Eu não usava uma agenda diária havia anos. Com a melhor das intenções, comprava uma e a utilizava nas primeiras três semanas de janeiro, depois a abandonava até maior. Àquela altura, eu a pegava e pensava *Bem, isso foi desperdício de dinheiro, não faz sentido começar quase na metade do ano*, e a jogava fora. Na vida adulta, sempre tive esse relacionamento com agendas diárias. Mas agora que voltei de New Orleans e quero recomeçar, preciso de uma. Preciso muito de uma. E essa era a agenda perfeita! Tinha o espaço perfeito para anotar obrigações pessoais e profissionais, citações para me manter motivada e páginas em branco no final nas quais eu podia fazer um registro dos livros que tinha lido. E era uma agenda para planejamento de dezoito meses, o que significava que eu poderia começar agora e usá-la até o fim de 2015. Era perfeita. Parecia ter sido feita para mim.

Então comecei a notar o quanto odiava minhas roupas. Tudo parecia velho e barato. Eu me sentia velha e barata, portanto. As mulheres que eu via pelo bairro ou no mercado pareciam muito mais arrumadas. Pareciam felizes. Eu parecia velha e barata. Comecei a visitar lojas *online* procurando coisas que pudessem me fazer parecer mais arrumada. Encontrei camisas que pareciam mais adultas e calças que não eram *jeans*, porque eu só usava *jeans*, e isso não era muito profissional. *Eu também deveria começar a usar vestidos,* pensei. Sempre odiei vestidos, mas as mulheres que eu via com esse tipo de roupa pareciam mais bonitinhas, e era um visual simples de montar. *Ei, olhe! Tem um vestido de cintura alta que ficaria lindo em mim. Talvez deva comprar em duas cores diferentes.*

Com exceção da agenda e das roupas, eu pensava constantemente em comprar livros. Também tinha uma caneca feita à mão em

3. SETEMBRO: ROMPER COM A TERAPIA DAS COMPRAS

que eu me imaginava bebendo café todas as manhãs, e um tapete que manteria meus pés mais aquecidos na cozinha, e uma faca de *chef*, porque eu não tinha nenhuma faca afiada, e como eu poderia preparar mais uma refeição sem uma faca? O maior problema seria substituir o celular, porque o meu estava velho e lento e às vezes desligava sozinho, o que sempre me enchia de uma fúria desnecessária. Eu *precisava* dele. Substituir o celular me livraria de um aborrecimento diário e tornaria minha vida muito melhor. Eu merecia tornar minha vida muito melhor. Só quando acrescentei o novo telefone ao carrinho de compras no *site* da minha operadora de celular e vi o total compreendi o que estava prestes a acontecer. Se clicasse em finalizar, estaria comprando alguma coisa e, portanto, desrespeitando a proibição de compras. A proibição não só me impedia de desperdiçar o que poderiam ser centenas e milhares de dólares, mas também me obrigada a parar e pensar no que eu estava fazendo. Isso era algo que eu nunca tinha feito antes, principalmente depois de um rompimento.

Não comprei nenhuma das coisas que quis naquele mês. Esvaziei os carrinhos de compras, fechei as abas do navegador e não comprei nada. Mas a eu de antigamente teria comprado. A eu de antigamente *havia comprado*.

Fazia quase seis meses que Chris e eu tínhamos rompido. Nosso relacionamento podia ser descrito com poucas palavras: turbulento, tumultuado, tóxico. Nós dois éramos dependentes que faziam uso abusivo de álcool, drogas e um do outro — abuso emocional, verbal e físico. Foi preciso muito tempo para ver que as coisas eram muito ruins, porque entre um abuso e outro havia muito afeto e promessa. Passávamos semanas alimentando as inseguranças um do outro, tendo discussões explosivas, depois pedíamos desculpas e expressávamos amor profundo e terno um pelo outro. Eu sabia que não era saudável e que não poderia durar para sempre. Mas cada vez que eu pensava em ir embora, Chris implorava por perdão. Ele prometia melhorar, ouvir todas as sugestões para ser mais cooperativo, e dizia que faria qualquer coisa para tudo dar certo. Não sei se alguma vez acreditei nele de verdade, mas eu queria acreditar. Pensava na linguagem especial que tínhamos e nos planos que faríamos, na química física que, de algum jeito, não desaparecia, por pior que a situação estivesse. Queria acreditar que ele ajudaria a fazer aquilo dar certo, por isso o perdoava. Quando os papéis se invertiam, ele me perdoava. Perdoávamos um ao outro. E algumas semanas depois, brigávamos de novo, eu pensava em terminar novamente, e o ciclo recomeçava.

Da mesma maneira que tentei parar de beber umas dez vezes ou mais, tentei terminar nosso relacionamento pelo menos o mesmo número de vezes. Quando Chris e eu enfim nos separamos, encontrei um apartamento no qual moraria sozinha pela primeira vez. Saí da casa dos meus pais quando tinha dezoito anos, e sempre dividi moradia com alguém ou morei com um namorado. E sempre enchi minha casa com móveis usados (muitas vezes de graça) e outros itens doados por familiares e amigos. Com a exceção da tendência para o TOC, que me fazia manter tudo em ordem e limpo, nunca me importei muito com a aparência das coisas, de onde vinham ou se combinavam. Dessa vez foi diferente.

No passado eu havia me mudado por motivos específicos. Para ter alguma independência de meus pais. Para economizar o dinheiro do aluguel. Para dividir a casa com alguém que combinasse mais com meu estilo de vida. Depois do rompimento com Chris, porém, eu *tinha* que construir uma vida nova, uma vida que não incluísse Chris. Queria que ela fosse o oposto exato de tudo que eu havia deixado

3. SETEMBRO: ROMPER COM A TERAPIA DAS COMPRAS

para trás. Queria paz, serenidade e conforto. Queria que a casa fosse um lar. Então, fiz o que sabia que me ajudaria a criar o ambiente tranquilo, sereno e confortável que eu desejava desesperadamente: fui às compras.

Na primeira loja, gastei US$ 1,3 mil em um sofá macio de microfibra verde para a sala de estar. Depois escolhi uma mesinha de centro escura, mesinha de canto, estante de livros e espelho por mais US$ 700. Enchi as prateleiras com livros e enfeites – peças exclusivas encontradas em lojas caras que gritavam "eu". Comprei e pendurei quadros que amava, sem me preocupar com o que outras pessoas pensariam deles. E comprei roupas de cama. A cama seria meu santuário, o lugar seguro para onde me retirar à noite. No total gastei mais de US$ 3 mil em uma semana. E ainda não havia acabado.

Para combinar com os móveis, decidi que aquele era um bom momento para trocar a maior parte do guarda-roupa. Alguns meses depois, financiei um carro zero e cheguei aos US$ 15 mil. As justificativas para essa decisão eram pavorosas. Pouco tempo depois de Chris e eu termos começado o relacionamento, o Hyundai Excel 1991 que eu dirigia desde o ensino médio morreu. O preço do conserto ultrapassava o valor do meu querido Roxy. Além disso, Chris tinha uma caminhonete e disse que eu poderia usá-la quando quisesse. Confiei nele, não arrumei o Roxy e me despedi dele, mandei o carro para o paraíso dos carros (o ferro-velho). É claro, não demorei muito para descobrir que a oferta de Chris estava sujeita a condições. Eu poderia usar a caminhonete, desde que enchesse o tanque de gasolina. Poderia usar a caminhonete, se fosse sair só por uma ou duas horas. Poderia usar a caminhonete, se não fosse para encontrar amigos homens. Com relação a esse último tema, ele me acusava quando eu chegava em casa, como se acreditasse que suas palavras me fariam confessar pecados. Então, quando finalmente fiquei sozinha, decidi que precisava de um carro. Precisava de um carro livre de condições. "Carros dão liberdade", repeti muitas vezes, mesmo sem ninguém para ouvir. Isso era tudo de que eu precisava: ser livre.

Em três meses montei minha vida nova. Tinha um apartamento com móveis coordenados, um *closet* cheio de roupas novas e um carro zero. Visto de fora, tudo parecia perfeito, e só havia levado três meses para ser criado. Eu finalmente era livre. Mas não era, porque minha vida nova tinha custado quase US$ 20 mil. Paguei tudo no crédito, a dívida era minha, e eu carregaria esse peso por muitos anos. Não havia liberdade nenhuma naquilo.

O rompimento com Andrew não se compara ao que passei com Chris em 2008. O relacionamento foi mais curto. Não foi turbulento, tumultuado ou tóxico. E não passamos meses hesitando antes da decisão, prolongando o uso e abuso um do outro até um de nós levantar a bandeira branca e anunciar que era hora de parar. Teoricamente, não havia comparação. Mas doeu, mesmo assim. Eu havia baixado a guarda, finalmente, e deixado um homem me considerar uma opção. Havia me permitido considerar um namoro como opção mais uma vez. E de repente não era mais uma opção com Andrew, e aquilo doeu.

Não lembro quanto doeu com Chris, porque na época estava entorpecida. Entorpeci a tristeza com comida, e o vazio com coisas. E entorpeci a solidão promovendo muitas festas no meu novo apartamento sem deixar nenhuma garrafa cheia. Não sentia nada, porque não me permitia sentir nada. Se sentia um beliscão ou ardor, pegava imediatamente o telefone e convidava amigos para beber. Aplicava esse bálsamo constantemente, de forma que a ferida nunca era curada, mas também não infeccionava. Não percebi o padrão até

3. SETEMBRO: ROMPER COM A TERAPIA DAS COMPRAS

o rompimento com Andrew. Dessa vez, não consegui me entorpecer. Tive que enfrentar cada sentimento excruciante.

Quando finalmente voltei para casa depois de um mês ocupado por viagens, fiz exatamente isso. À noite, ia para a cama me sentindo tão sozinha que os ossos doíam. De manhã, cumpria minha rotina e lembrava que logo tudo voltaria ao normal. Fiz uma nova limpeza, me limpei de mais cosméticos que nunca usei e algumas peças de roupa que não havia usado desde a primeira faxina. Fiquei mais confortável em meu espaço e mudei as coisas de lugar no apartamento para deixá-lo mais funcional. Ia fazer caminhadas com amigos nos fins de semana. Continuei vivendo. Sentia as coisas e continuava vivendo. Não me anestesiei com comida ou álcool. E não fiz compras. Não ajudaria. Nunca ajudou de verdade, e não ajudaria dessa vez.

No *blog*, anunciei que tinha sobrevivido aos primeiros três meses de proibição de compras, mas esse não era o verdadeiro motivo para comemorar. O verdadeiro motivo para celebração era que eu tinha sentido coisas e continuava vivendo.

4

Outubro: amadurecer e se afastar

Meses sóbria: 21
Renda economizada: 23%
Total de objetos eliminados: 50%

No começo de outubro, tirei fotos do meu apartamento como era então e as colei ao lado das fotos tiradas depois da primeira faxina ,em julho. As diferenças eram mínimas, na melhor das hipóteses. Eu havia limpado ainda mais o guarda-roupa, doado mais livros e mudado algumas coisas de lugar. O quadro de avisos tinha crescido muito, com papéis presos sobre mais papeis, mas todo o resto parecia igual. A pedido de algumas pessoas que haviam perguntado se eu poderia mostrar minha casa e explicar se o esforço da faxina tinha dado resultados, compartilhei as fotos no *blog*. O *post* levava os leitores a uma visita ao meu apartamento e mostrava que sim, de fato, o esforço tinha dado resultado. Minha casa estava livre de tralhas. Tudo tinha um lugar e tudo se encaixava. Fiquei feliz por compartilhar tudo isso, e muitos leitores gostaram de ver. Alguns, porém, não ficaram satisfeitos.

Com relação ao *blog*, há duas regras que sempre tentei manter. A primeira é que, se alguém dedica um tempo a escrever um comentário e compartilhar parte de si mesmo comigo, em troca vou dedicar um tempo a escrever uma resposta atenciosa. Nem sempre respondo aos novos comentários que surgem em *posts* antigos, mas se você comenta em alguma coisa que publiquei recentemente, faço o melhor que posso para responder. Não só porque respeito o tempo das pessoas, mas também porque amo as conversas que temos nesse espaço, e sou muito grata por toda conexão que podemos estabelecer nesse mundo.

A segunda regra que sempre me orientou é algo que ouvi em uma conferência: um *blog* não é uma democracia. O blogueiro pode controlar a conversa e, em alguma medida, deve. Isso não significa deletar comentários que contariam sua opinião ou fazem pensar. Esses, na verdade, são alguns dos melhores comentários, porque exigem que você abra a cabeça e expanda seu ponto de vista. Mas isso significa deletar comentários dos *trolls* da internet, gente cujo único propósito é procurar pessoas com quem possa discutir *online*. Como a palavra sugere, eles se escondem atrás de nomes falsos e, assim que encontram um blogueiro disposto a publicar seus comentários e refutá-los, se acomodam e sentem-se em casa. Se você procurar nos *posts* do meu *blog*, pode pensar que sou um dos poucos seres de sorte que não são incomodados por *trolls*. Isso não é verdade. De fato, há muitos deles. Simplesmente não permito que seus comentários invadam nosso espaço. Deleto os comentários dos *trolls* pela mesma razão que Brené Brown não lê as críticas: como ela diz, isso não colabora para o trabalho. Mas, diferentemente, de Brené Brown, para saber que comentários deletar, tenho que ler todos antes.

4. OUTUBRO: AMADURECER E SE AFASTAR

As opiniões sobre mim e meu apartamento variaram entre os *trolls* que apareceram naquela semana. Uma pessoa acreditava que eu havia preparado o cenário para as fotos e escondido a tralha atrás do cenário. Outra dizia que minha casa não tinha alma e que eu, portanto, também não tinha. Mas a maioria parecia preocupada com meu pequeno guarda-roupa, mais especificamente com a chance de eu não ter trajes adequados para usar em encontros. "Não é à toa que levou um fora no mês passado", alguém comentou.

Responder com uma foto panorâmica do meu apartamento não teria convencido a primeira pessoa de que não preparei um cenário. Tentar explicar que me sentia mais à vontade agora em minha nova casa do que jamais havia me sentido antes não teria colaborado para a segunda pessoa perceber a alma no espaço. E tirar fotos minhas com todas as roupas que eu tinha e poderiam ser consideradas apropriadas para um encontro não teria ajudado nenhum de nós. Não houve muitos comentários dolorosos de *trolls* antes, mas esse doeu. O rompimento com Andrew era muito recente, e a dor foi ainda pior quando uma amiga fez um comentário parecido poucos dias depois.

Não fazia muito tempo que ela participava da minha vida, essa amiga. E não era uma grande amiga, se a palavra *grande* descrevesse alguém com quem eu passava muito tempo ou a quem confiava meus segredos mais profundos e sombrios. Mas era uma amiga grande o bastante para isso me machucar. Depois de ler o mesmo *post* do *blog* em que os *trolls* haviam comentado, ela ligou para mim para comentar que não conseguia acreditar como meu apartamento estava limpo e organizado. "Estou chocada, sério!", ela exclamou. "Minha casa pode ser a próxima?" Falamos sobre algumas áreas mais problemáticas na casa dela. A mesa coberta de papéis e projetos que ela queria desenvolver, mas para os quais nunca tinha tempo. A entrada do *closet*, cheia de caixas de sapatos empilhadas sobre mais caixas de sapatos. Sapatos em que ela também tinha gastado um bom dinheiro algum dia, mas agora nunca usava, ou tirava do armário uma vez por ano. E o guarda-roupa. "Meu *closet* está entupido, literalmente. Não sei nem por onde começar", ela disse. Antes que eu pudesse rir, dar uma sugestão ou reagir de algum jeito, ela acrescentou mais uma coisa. Era seu jeito de estabelecer um limite pessoal de como lidaria com sua tralha e, ao mesmo tempo, uma invasão ao meu limite. "Mas não quero que meu armário fique como o seu. Você nunca vai conhecer um homem com essas roupas, mulher!"

Aí é que está. O comentário dela ou o do *troll* não tocaram nenhum ponto especialmente sensível. Eu sempre fui alguém que usava as mesmas roupas, e isso nunca interferiu na minha capacidade de namorar ou ser vista como uma pessoa digna de namorar. E se eu virasse essa história, poderia dizer o mesmo para todos os homens com quem saí. O que quer que vestissem (e quero dizer que tanto faz, porque juro que não lembro como nenhum dos meus ex costumava se vestir), isso não afetava minha opinião sobre eles. Mas os comentários me fizeram voltar a um lugar onde estive muitas vezes antes. Um lugar onde eu sentia necessidade de me colocar e justificar minha opinião, mas me continha antes disso. Queria dizer: "Não me interessa o que você veste, então, por que liga para o que eu visto?". Mas não disse nada.

Nunca disse nada.

Quando tinha 24 anos, decidi parar de comer carne e adotar uma dieta vegetariana. Foram só quatro anos até eu voltar a comer carne, mas passei esses quatro anos com a sensação de que tinha que me explicar para todo mundo com quem comia. A maioria das

4. OUTUBRO: AMADURECER E SE AFASTAR

pessoas que conviviam comigo se comportava como se minha dieta vegetariana fosse um inconveniente, como se o fato de eu não comer carne de vaca, porco, ave ou frango afetasse, de algum jeito, sua capacidade de fazer as refeições em minha companhia. Eu chegava em todos os churrascos sabendo que me perguntariam se eu ia querer cenouras ou *homus* para acompanhar meu hambúrguer vegetariano, e que alguém provavelmente enfiaria um pacote de carne crua na minha cara e perguntaria: "Não sente falta disso?". Eu sempre soube rir disso. Mas também sempre tive vontade de perguntar: "Não me incomodo se você come carne. Por que tem que se incomodar por eu não comer?". Mas nunca disse nada.

A mesma coisa aconteceu quando decidi parar de beber. Diferentemente de comer carne, essa foi uma decisão que mantive. E por conseguirem ver como estou mais feliz e mais saudável – em todos os campos, mental, físico e espiritual –, quase ninguém a questionou. Mas ainda havia alguns que questionavam essa decisão, e os comentários eram ferinos. "Você era tão divertida quando bebia." *Agora eu era a definição de chata?* "Queria que bebesse com a gente hoje à noite, mas sem pressão!" É claro, pressão nenhuma. "Isso significa que a gente nunca vai transar bêbado!" Esse comentário foi feito por um homem com quem namorei por pouco tempo. Também era apresentada nas festas como "a sóbria", e mais tarde alguém me dava uma taça de champanhe de brindar e dizia: "Bebe só um gole, não é nada demais". "Você não vai beber nunca mais, *sério*?", era minha segunda questão preferida para responder, perdendo apenas para aquela que faziam quando eu era vegetariana: "Não sente falta disso?". É claro que sentia falta. Não dá para terminar um relacionamento de quatorze anos com alguém ou alguma coisa e achar que isso nunca mais vai passar por sua cabeça. "PAREM DE PERGUNTAR!" Sempre quis gritar para eles. "Não me interessa se vocês bebem, por que têm que se importar se eu não bebo?" Às vezes eu conseguia dizer só um "não", e isso era o suficiente. Mas o mais normal era comprimir os lábios e não falar nada.

Fui ingênua quando comecei a proibição de compras. Nunca poderia ter imaginado que acabaria na mesma luta que travei quando parei de comer carne e beber. A paisagem social das compras parecia mais plana, com menos montanhas para escalar. *Por que alguém tem que se importar se me desfaço das minhas coisas ou não compro nada novo? Isso não afeta ninguém além de mim.* Ah, como fui ingênua.

Além da amiga que debochou do meu guarda-roupa reduzido, tinha uma amiga que tentava constantemente me convencer a desistir da proibição de compras para podermos ir ao *shopping*. Fui com ela duas vezes só para fazer companhia, mas em ambas me senti como a única pessoa sóbria na festa. Quando viajei para Toronto a trabalho, meus colegas perguntavam como estava a proibição e olhavam para mim como se eu fosse louca. "Melhor você que eu", diziam quando eu passava pela mesa deles e notava que quase todas as telas estavam abertas em um *site* de compras. Também havia amigos que justificavam compras que eu nem considerava fazer, na verdade. Diziam que eu "merecia". "Você trabalha tanto!", diziam. "E só se vive uma vez!" Eu odiava o acrônimo para essa afirmação: YOLO (*you only live once*, ou você só vive uma vez). Tinha visto muitos amigos passarem o cartão de crédito e se afundarem em dívidas com esse raciocínio. Isso e "presenteie-se" eram as duas frases que eu queria que fossem apagadas do vocabulário e esquecidas para sempre. Sim, só se vive uma vez, "que é o que significa YOLO, ou *"you only live once"*). E devia aproveitar essa chance. Mas não se isso significa estourar seu orçamento ou se endividar por isso. Não tem nenhuma diversão na dívida, e certamente não existe acrônimo que mude isso. Eu sabia bem disso.

4. OUTUBRO: AMADURECER E SE AFASTAR

Em todas essas situações, nunca fiquei com raiva dos meus amigos. Não podia nem culpá-los por tentarem me convencer a fazer compras com eles, ou comprar sozinha, ou simplesmente aproveitar meu dinheiro. Esse era um comportamento que muita gente aprendeu e exibiu em todos os tipos de circunstâncias na vida deles. Na minha vida, tive amigos que me davam outro drinque e me incentivavam a passar a noite fora. Tive amigos que sugeriam trocar a bebida por drogas para podermos ficar acordados por mais tempo. Também tive amigos que fugiam da academia e sugeriam que fôssemos comer uma *pizza*, em vez de fazer ginástica. Dessa vez eu tinha amigos que tentavam justificar por que eu deveria comprar coisas para mim. O que consumíamos mudava, mas os cenários eram sempre os mesmos. E eu não podia fingir que os papéis nunca tinham se invertido.

Não tenho lembranças específicas disso, provavelmente porque as bloqueei, como se bloqueia qualquer coisa que não se queira lembrar sobre seu eu anterior, mas tenho certeza de que houve ocasiões em que incentivei amigos a quebrar as próprias regras e fazer coisas ruins comigo. Eu *sei* que sim. Sei porque é isso que os dependentes fazem. Também é o que fazem pessoas dentro do mesmo círculo de influência. Ao longo dos anos, desenvolvi dezenas de amizades, mas também as dividi em categorias. Tive amigos com quem bebia, outros com quem usava drogas, amigos com quem comia o que não devia e amigos com quem fazia compras. Era raro convidar algum amigo com quem bebia para ir à minha casa quando sabia que ia fazer uma orgia de comida para viagem com outro amigo. De vez em quando fumava maconha e comia porcaria com a mesma pessoa, mas isso foi o máximo que me aproximei de juntar meus mundos. E dentro de cada um desses mundos, sei que todos éramos culpados por influenciar uns aos outros.

O problema, na opinião dos meus amigos, era que eu era a primeira a abandonar esses mundos. Parei de usar drogas pesadas aos 23 anos, e parei de fumar maconha aos 25. *Adeus, mundo das drogas. Até nunca mais.* Depois parei de beber aos 27 anos e também deixei esse mundo para trás. Não posso dizer que nunca como comida ruim, mas, quanto mais saudável fico, mais tenho consciência do que ponho em meu corpo. Com o passar do tempo, parei de comer exageradamente e parei de convidar amigos para aquelas orgias de comida. E embora os três mundos fossem completamente separados, depois que eu saía de cada um deles, as mesmas listas de comentários começavam a chegar: primeiro as piadas, depois as justificativas, as lembranças dos bons tempos e os pedidos para eu voltar.

Não pensei que alguém se incomodaria por eu parar de comprar, mas também nunca fiquei brava com meus amigos quando começaram a fazer comentários que demonstravam o contrário, porque eu sabia que a verdade era que também os havia deixado. Tinha quebrado as regras e rituais que forjavam nossos laços de amizade no mundo das compras. Não poderíamos mais encontrar prazer em comprar coisas ao mesmo tempo ou falar sobre as compras que fizemos ou compartilhar dicas sobre como economizar. Eu sempre soube que beber era algo muito arraigado em nossa cultura e era um dos assuntos em quase todos os grandes eventos, mas nunca pensei que comprar e gastar dinheiro poderia ser um fator de conexão ainda maior. Viu? Ingenuidade. Eu não podia ficar brava com meus amigos por se sentirem como se eu tivesse me retirado do que era, provavelmente, um dos tópicos mais comuns de discussão.

Com o passar do tempo, notei mais e mais que amigos agiam como se não pudessem contar as próprias aventuras de consumo na minha frente, do mesmo jeito que não se pode falar palavrão na frente de uma criança. "Desculpe, Cait, você não vai se interessar por essa

4. OUTUBRO: AMADURECER E SE AFASTAR

próxima história", diziam antes de compartilhar com o grupo. *Devo tampar os ouvidos? Ou ir sentar no canto?* Com o tempo, algumas pessoas pararam de me convidar para fazer qualquer coisa que envolvesse gastar dinheiro. Pareciam confusas com o experimento e presumiam que, por eu não poder comprar, também não podia sair para jantar. Essas presunções magoavam, porque me faziam sentir que eu era isolada por tentar melhorar. Era isso que sentiam os bons alunos que se importavam com sua educação e suas notas no ensino médio? Eu queria dizer aos meus amigos que o fato de eu estar mudando não queria dizer que eles também tinham que mudar. "Não me importa se você ainda compra, por que se importa por eu não comprar?" Mas não falei nada. Eu nunca falava. Mas aquilo me fez pensar: *"Por que nos incentivamos a gastar dinheiro, se deveríamos todos economizar mais?"*

Uma lição que aprendi inúmeras vezes ao longo dos anos é que, sempre que você supera alguma coisa negativa em sua vida, abre espaço para alguma positiva. Libertar-me do relacionamento tóxico que um dia tive com Chris me fez abrir os olhos para o fato de poder, de fato, voltar à escola e ir atrás de alguns de meus sonhos. Deixar o emprego no setor público me deu a oportunidade de ver que eu podia ganhar a vida escrevendo. Até uma coisa simples, como decidir não terminar um livro de que não gostava, me dava mais tempo para ler livros que amava. E investir menos energia na amizade com pessoas que não me entendiam me dava mais energia para investir na amizade com pessoas que me entendiam.

Embora algumas amizades desaparecessem lentamente, descobri que muitas outras floresciam e cresciam ao longo do período de proibição de compras. Eu encontrava Kasey, com quem tinha ido a

Portland, a cada duas semanas. Ela era uma das poucas amigas que eu tinha com quem sempre podia falar sobre compras (por assim dizer), já que nós duas trabalhávamos para *startup*s de finanças e entendíamos as dificuldades envolvidas nisso. Mas ela também era uma das pessoas mais positivas que já conheci. Sua energia era contagiante, e eu precisava ser contaminada com boa energia. Se não íamos a algum lugar de Vancouver para o *brunch*, íamos dar uma caminhada em Port Moody, um passeio que quase sempre acabava na sorveteria *Rocky* Point. Eu também precisava ser contaminada por uma bola de caramelo salgado de vez em quando.

Tanya era outra amiga que me contagiava com sua energia positiva. Ela foi a primeira amiga que fiz quando me mudei para Port Moody e a primeira pessoa para quem telefonava sempre que queria fazer uma caminhada, porque sabia que ela sempre diria sim. Um fim de semana sim, um não, explorávamos uma das dezenas de trilhas entre Port Moody e Pitt Meadows. Minha favorita sempre foi nossa caminhada de três horas em torno do Lago Buntzen com o cachorro dela, Starr. Nunca tínhamos pressa de chegar ao fim, e isso transparecia na cadência dos nossos passos e no ritmo da conversa.

Quando decidi impor a proibição de compras, a primeira pessoa com quem dividi a ideia foi Emma, minha melhor amiga. Emma e eu nos conhecemos quando trabalhávamos como atendentes da lanchonete em um mercado em Victoria. Havia uma diferença de três anos entre nós: ela tinha dezessete na época, e eu ia fazer vinte. Mas nosso senso de humor pateta e frequentemente grosseiro era tão semelhante quanto o uniforme que usávamos, camisa bege e calça preta. Trabalhamos juntas por dois anos apenas, mas nos tornamos inseparáveis desde então.

Emma era a primeira pessoa a quem eu contava tudo. Ela foi a primeira pessoa a quem contei quanto devia. A primeira para quem

4. OUTUBRO: AMADURECER E SE AFASTAR

mandei o *link* do meu *blog*. A primeira pessoa com quem dividi a decisão de começar a me exercitar mais e beber menos, e parar de beber completamente, depois de um tempo. Não importava em que lugar do mundo eu estava, morando em Port Moody, trabalhando em Toronto ou viajando para qualquer outro lugar, Emma sempre foi a primeira a saber de qualquer coisa em minha vida, e vice-versa.

Com o tempo, passei a acreditar que há dois tipos de amigos no mundo: o amigo que impede que você vá para casa com aquela pessoa que conheceu no bar, e o que comemora sua aventura sexual com Bloody Marys na manhã seguinte. O que nunca recusa um convite para ir à academia, e o que dá parabéns por você ter comido dois hambúrgueres, uma porção de fritas e um *milk-shake* depois de um dia ruim. O que impede você de gastar US$ 300 em uma bolsa de que não precisa, e o que leva você de carro à loja mais próxima para comprá-la. Também acredito que escolhemos com quem dividimos essas lutas internas antes de tomarmos nossas decisões, porque quase sempre as debatemos com as pessoas que vão permitir a escolha ruim. O motivo pelo qual Emma era a primeira pessoa a quem eu contava tudo era porque ela se enquadrava na categoria de amigos que incentivam as pessoas a fazer boas escolhas.

Durante os primeiros meses da proibição, compartilhei com Emma cada impulso que tive de comprar. Minhas mensagens de texto percorriam um espectro.

Do racional: "Estive pensando em comprar lençóis novos".

Ao desesperado: "Socorro! Estou a um clique de comprar tudo! Não deixa! Ahhh!".

Ao desanimado: "Essa é a piorrrrrr coisa, por que estou fazendo isso?!?!?!?!?".

As respostas de Emma quase sempre começavam com uma risada. Ela é o tipo de amiga que consegue rir de mim sem me fazer sentir julgada, porque sei que não é por isso que ela está rindo. Nós duas tínhamos ataques de riso falando sobre como algumas mensagens minhas eram ridículas, em especial algumas coisas pelas quais eu pensava em desrespeitar a proibição. Não era julgamento, era diversão de verdade. E quando parávamos de rir, Emma tinha a habilidade mágica de me colocar em meu lugar repetindo palavras que eu mesma tinha dito. Ela falava coisas como:

"Está na lista de compras aprovadas? Está disposta a trocar essa compra por outra que está na lista?"

"Gata, está tudo bem! Você não precisava disso ontem, não precisa disso hoje."

"Está indo muito bem! Uma decisão de cada vez! É só TCB!" (Esse era nosso código para *take care of business*, que é mais ou menos cuidar da vida.)

Ela era minha torcedora e minha defensora para o sucesso. Muitas vezes atribuí a capacidade de pagar minha dívida tão depressa aos leitores que me ajudaram a permanecer comprometida, e ainda acredito nisso. Mas Emma foi, e é, a definição de parceira de comprometimento. Isso não quer dizer que sempre tomamos as melhores decisões. Nos primeiros dez anos da nossa amizade, às vezes permitíamos escolhas ruins da outra sem críticas ou cobranças. Mas nunca julgamos a outra, porque sempre soubemos que voltaríamos rapidamente para os trilhos, e se demorasse muito, interferiríamos para guiar a outra de volta.

Finalmente, tinha a Clare. Clare e eu nos conhecemos por intermédio dos *blogs* de finanças pessoais. Enquanto eu escrevia sobre pagar minha dívida de consumo, ela escrevia sobre pagar o empréstimo estudantil. Seu texto era inteligente e espirituoso. Havia um motivo para ela ter se tornado editora de textos. Clare nasceu para isso. E também era uma das minhas amigas mais sóbrias.

4. OUTUBRO: AMADURECER E SE AFASTAR

Antes de eu realmente parar de beber, mandei um *e-mail* para o autor de um *blog* de sobriedade escrito por uma mulher que usava o pseudônimo "B". Desesperada, compartilhei com B minhas preocupações e inseguranças. Desnudei a alma para uma completa desconhecida. Mas ela não era uma completa desconhecida. Minutos depois de mandar o *e-mail*, recebi uma resposta curta e carinhosa. "Meu bem, antes de responder a qualquer coisa que você tenha compartilhado, preciso ser honesta. Sou eu, Clare. Eu sou a B." A internet havia feito sua magia – duas vezes – para garantir nosso encontro, e somos amigas desde então. Ela foi minha companhia sóbria, e eu fui a dela. O amor e o apoio de Clare foram tão intensos quanto seu cabelo vermelho. Ela sempre me lembrava de que era o tipo de amiga que nunca abandona o barco. Que enfrentaria comigo qualquer situação. E enfrentava. Mas só nos conhecemos pessoalmente dois anos mais tarde, na noite anterior ao casamento dela, em outubro de 2014.

A melhor e a pior parte em construir amizades com pessoas que conhecemos *online* é que elas raramente moram na mesma cidade que você. Nesse caso, Clare morava em Denver. Os 2.500 quilômetros de distância entre nós dificultavam um café casual, mas, quando ela me convidou para o casamento, não hesitei em confirmar presença. Claro que iria. Seria uma honra, e eu queria muito conhecer minha melhor amiga de internet na vida real.

O plano original era Andrew ir comigo, mas mesmo sem ele decidi encaixar a viagem no meu orçamento, e consegui. Além do dinheiro que investia no meu fundo de aposentadoria todos os meses, também guardava dinheiro para viajar. Havia passado quase toda a década entre meus vinte e trinta anos falando sobre como queria viajar mais e reclamando de nunca ter dinheiro para isso. Agora, graças à proibição de compras, eu finalmente tinha o dinheiro. Na verdade, tinha o suficiente para o voo de ida e volta, hotel, alimentação e até para o aluguel de um carro por quatro dias. Usei pontos de companhias aéreas e códigos de desconto para pagar menos, mas tinha o dinheiro para tudo.

Era a segunda vez que eu ia à Mile High City (Denver tem esse apelido, Cidade de Uma Milha de Altura, porque sua altitude é exatamente uma milha, ou 1.609,3 metros), mas a primeira em que eu conseguiria sair do centro e fazer alguma coisa além de participar da conferência que tinha me levado até lá. Além do casamento, havia só uma coisa que eu queria fazer: passar um dia nas montanhas com minha amiga Kayla. Kayla era mais uma *blog*ueira de finanças pessoais. Nós nos conhecemos em uma conferência em St. Louis em 2013, e senti imediatamente que ela seria uma das pessoas com quem eu me relacionaria. Àquela altura, Kayla era a única outra pessoa que eu conhecia que escrevia sobre dinheiro e consciência pessoal. Ela também era a única amiga que havia experimentado meditar, e com quem eu podia compartilhar alguns dos meus pensamentos mais "viajantes".

Acordei com o sol, e Kayla foi me buscar no hotel. Bebemos café nos copos para viagem que ela havia comprado, paramos para o café da manhã em Morrison e seguimos para o parque Red *Rock*s. Foi ali que aprendi a importância de beber o dobro de água que você normalmente bebe, quando está quase dois mil metros acima do nível do mar. Quando subi a escada no anfiteatro, fiquei sem ar pela escassez de oxigênio. Parada entre dois monólitos, enxerguei tudo girando. Mas para alguém que havia crescido no Noroeste Pacífico, cercada pelo mar e pelas montanhas da costa, o arenito vermelho era uma visão. As formações de camadas rochosas de 250 milhões de anos nos saudavam de cada canto da trilha na descida de volta ao carro. Tem um motivo para o Anfiteatro Red *Rock*s um dia ter sido considerado uma das Sete Maravilhas do Mundo Natural, e eu me sentia grata por vê-lo.

4. OUTUBRO: AMADURECER E SE AFASTAR

Naquela noite, fui com Clare e seu futuro marido, Drew, a uma festa que os amigos tinham organizado para eles em Boulder. Ela não me apresentou como a sóbria, mas como sua melhor amiga da internet. "Cait é uma escritora incrível, vocês precisam ler seu *blog*", ela gritou mais alto que a música. "Ela está escrevendo sobre um ano sem compras, é incrível!" E assim, ela me deixou socializar sem estar naquela posição desconfortável de me sentir a única pessoa sóbria na festa, mas como alguém valorizada em um grupo de amigos.

No dia seguinte, na festa de casamento, conheci mais amigos de Clare e Drew, inclusive outra abstêmia. Dançamos até os pés doerem e eu decidir que era hora de ir embora. A despedida de Clare naquela noite foi breve e terna, como se realmente pudéssemos nos encontrar na semana seguinte para um café. Eu sabia que não nos encontraríamos de novo tão cedo, mas nos encontraríamos de novo. A internet tinha feito sua magia duas vezes para garantir que nos conhecêssemos e nos tornássemos amigas. A proibição de compras havia feito sua magia e garantido que nos encontrássemos pessoalmente.

5

Novembro: blecaute e recuperação

Meses sóbria: 22
Renda economizada: 30%
Confiança de que posso concluir esse projeto: 40%

Uma das coisas que aprendi nos anos desde que comecei a escrever o *blog* é que os leitores que deixam comentários (com exceção dos *trolls*) pertencem, geralmente, a dois grupos de pessoas: as que são inspiradas e apoiam o que quer que você faça, e as que acham que é uma boa ideia, mas relacionam rapidamente todos os motivos possíveis para não poderem fazer a mesma coisa. O companheiro não quer parar de beber, comer fora ou fazer compras, os filhos se recusam a abrir mão de suas coisas, eles trabalham muitas horas por semana para ainda ganhar um dinheiro extra, têm casa para sustentar e amigos para encontrar e eventos para frequentar, e assim por diante. Esses leitores enchem a pequena caixa de comentários com suas histórias e compartilham dificuldades pessoais com detalhes tão íntimos que muitas vezes me perguntei se os próprios companheiros sabem se isso é verdade. E se essas pessoas estão especialmente deprimidas naquele momento, escolhem dois sinais de pontuação: dois pontos e abertura de parêntese, o sinal digital da carinha triste.

Nunca discuti e jamais discutirei os motivos dos leitores para não poderem fazer o que estou fazendo. Sempre disse que finanças pessoais é um assunto pessoal, e o que funciona para uma pessoa nem sempre funciona para outra, e isso vale para quase tudo. Mas tem uma dificuldade que os leitores mencionam e com a qual me identifico. Mais que isso, vivi e lutei com esse problema muitas vezes.

É a preocupação de uma proibição ser restritiva demais. O receio de uma síndrome de abstinência provocar a desistência, a recaída, a retomada ainda mais frenética e intensa do hábito que você tentava eliminar. Sem dúvida, essa era a objeção mais comum que os leitores faziam quando comecei a escrever sobre a proibição de compras, e o motivo mais comum pelo qual diziam que essa não era uma alternativa para eles. Para ser justa, é uma preocupação válida, principalmente se você alguma vez pensou que fazer compras poderia resolver um problema em sua vida. O que quero dizer com isso vai além da expressão superficial "terapia de compras". É mais profundo que a crença superficial de que se pode comprar a felicidade. Não foram nem os questionamentos que alguns amigos fizeram sobre o desafio que me levaram a questionar o motivo para eu querer concluí-lo. Era o que eu dizia a mim mesma sempre que pensava em desistir, porque eu pensava em desistir. E uma vez, eu realmente desisti.

5. NOVEMBRO: BLECAUTE E RECUPERAÇÃO

Em julho, eu havia tomado medidas abrangentes para ver o mínimo possível de propagandas durante o ano. Tinha cancelado a tv a cabo e conectado a televisão para assistir apenas à Netflix anos antes, por isso não seria exposta à propaganda naquela tela. Porém, meus olhos ainda passavam por ela no computador e no celular. Eu não podia controlar os anúncios nos *sites*, mas podia controlar parte do que via nas mídias sociais, e foi por aí que comecei. Em cada plataforma que usava (Facebook, Twitter e Instagram), revi a lista de contas que seguia e deixei de seguir todas as lojas. Eram livrarias, lojas de acessórios para esportes ao ar livre e objetos de decoração e de departamentos. Com exceção das livrarias, fiquei me perguntando por que havia seguido algumas daquelas contas. *Eu precisava realmente saber quando houvesse uma liquidação de molduras para quadros, jogos de malas ou roupões de banho? Isso alguma vez foi importante?*

Tropecei nas empresas dos amigos, como a linha de cosméticos naturais que eu realmente havia passado a usar. *Como poderia deixar de seguir as contas da Megan? Isso daria a impressão de que eu não apoiava o trabalho dela? Daria a impressão de que eu não a apoiava?* O simples fato de estar me fazendo essa pergunta prova o contrário. É claro que apoiava os produtos e serviços de meus amigos, só não podia ser tentada por eles durante o ano seguinte.

Quando terminei o trabalho nas mídias sociais, passei à caixa de *e-mails*, que era uma entidade com vida própria. Felizmente, existia um aplicativo que podia ajudar com isso, e que criou uma longa lista dos mais de trezentos informativos que eu havia assinado ao longo dos anos, e colocou um grande e vermelho "cancelar" embaixo de cada um. Ali também havia livrarias, lojas de equipamentos para esportes ao ar livre, lojas de decoração e de departamentos. Cancelar, cancelar, cancelar, cancelar. Mas também havia companhias aéreas e *sites* de preços de viagens que mandavam notificações sobre códigos de desconto e liquidações rápidas. Foi difícil decidir se removia esses futuros *e-mails* da minha vida. *Posso gastar dinheiro com viagens neste ano. Não deveria tentar economizar sempre que organizo uma viagem? Sou uma blogueira de finanças pessoais, afinal! Não posso dizer às pessoas que gastei mais quando poderia ter gastado menos.* O sentimento era válido, mas eu sabia que receber notícias sobre mais pechinchas me faria gastar mais dinheiro. Em minutos, cancelei todos esses informativos, ou pensei que os havia cancelado. De algum jeito, apesar de todas as providências, um *e-mail* passou pelas brechas e apareceu na minha caixa de entrada na *Black Friday*.

A manhã começou como outra qualquer. Tomar banho, fazer café, ler um livro, depois começar a trabalhar. Ritmo lento e tranquilo. Eu não estava preocupada com a tralha para limpar. Não sentia falta da rotina anterior de comprar café para viagem. E não percebi que era *Black Friday* até verificar o *e-mail* e encontrar uma mensagem da minha loja favorita com os preços de liquidação espalhados pela tela. Pague um, leve dois, um livro com 25% de desconto, outro com 40% de desconto, e descontos de 50% a 75% nas velas. Letras vermelhas, grandes e em destaque para tudo isso. Antes de poder clicar na opção que mandaria a mensagem para a pasta de *spam*, percebi que os *e-readers* estavam com US$ 40 de desconto, de US$ 139 por US$ 99. Isso era perfeito. Na semana anterior eu tinha assumido no *blog* o compromisso de me desfazer de um *e-reader*, mas ainda não havia comprado outro. Pela primeira vez, minha procrastinação havia (literalmente) compensado.

E então ouvi.

Você nunca viu e-readers tão baratos antes.

5. NOVEMBRO: BLECAUTE E RECUPERAÇÃO

Conhecia aquela voz. Era familiar, como quando você atende o telefone e ouve uma amiga com quem não fala há anos, e se enche de amor e empolgação por falar com ela de novo. Havia um reconhecimento imediato do grau de conforto entre nós que me permitia baixar algumas defesas e ouvir o que ela dizia.

Você nunca viu e-readers tão baratos antes. E você precisa disso.

Tínhamos história, aquela voz e eu. Na verdade, tive mais conversas com ela do que com qualquer outra pessoa. Ela me conhecia em um nível molecular – o que era necessário para me alimentar, me abastecer, me dar vida, e o que podia me destruir. Sempre acreditei que ela me ajudaria a resolver qualquer problema. Afinal, meu *e-reader* estava quebrado. Eu precisava disso, não?

Você precisa disso. E não compra nada para você há muito tempo.

Ela também foi sempre minha tábua de salvação. Sempre que eu me encontrava em um cruzamento de vias e não sabia para onde ir, ela considerava as duas opções comigo. Dessa vez estávamos no mais famoso entroncamento do mundo das finanças pessoais, e ela me fazia apenas uma pergunta: você tem o dinheiro? Eu sabia qual era a resposta, mas ainda buscava a orientação dela.

Você precisa disso. Não compra nada para você há muito tempo. E você tem o dinheiro!

Meus olhos se arregalaram e senti aquele pequeno movimento de dança subindo do peito para os ombros. Era a mesma sensação que eu tinha quando escolhia duas garrafas de vinho e sabia que a noite seria divertida, uma mistura de empolgação e ansiedade, seguida por uma descarga de adrenalina. Eu tinha US$ 700 na minha conta de proibição de compras. Podia pagar por isso, é claro! Estava pronta para flertar com a ideia, tomar a inciativa e dançar a noite inteira. Mas não era mais a mesma garota que escolhia duas garrafas de vinho, por isso a sensação me fez hesitar.

Ela percebeu que eu não estava convencida.

E talvez nunca mais tenha esse desconto de US$ 40.

Isso era tudo que eu precisava ouvir, e ela sabia. Sabia, porque eu sabia.

Não lembro o que, especificamente, aconteceu em seguida, mas sei em que ordem as coisas devem ter acontecido. Devo ter adicionado dois *e-readers* no carrinho de compras, inserido as informações do cartão de crédito e o endereço de entrega, revisado o pedido e clicado em "finalizar". Sei que deve ter sido isso que aconteceu, porque foi o que fiz centenas de vezes antes. Para mim, era tão familiar quanto me vestir todas as manhãs, ou encontrar o local da risca no meu cabelo, o que significa que acontecia naturalmente. Não era só um hábito, era parte de mim. Mas não me lembro de ter feito isso. Não me lembro de ter fornecido informações ou clicado em algum lugar. Quando dei por mim, havia outro *e-mail* da minha loja favorita, uma mensagem de confirmação de pedido. Eu havia perdido todos os segundos de mais um blecaute e, daquela vez, tinha desrespeitado a proibição de compras.

Não desconhecia o que viria a seguir. Sabia com que rapidez um pequeno deslize poderia se transformar em um tombo ladeira abaixo e em uma recaída completa, porque isso também parecia acontecer naturalmente comigo. Como quando tentei fazer a dieta em que tinha que consumir apenas 1.200 calorias diárias. Durou quatro dias até eu me convencer de que podia comer um pedaço de chocolate amargo. Mas esse pedaço de chocolate amargo logo se transformou na barra inteira de chocolate amargo. E quem eu queria enganar? *Não conseguia fazer aquela dieta idiota, então, por que parar por aí?* Entrei

5. NOVEMBRO: BLECAUTE E RECUPERAÇÃO

no carro, fui ao mercado e comprei uma *pizza* congelada e uma fatia de *cheesecake* de chocolate, porque era isso que eu queria de verdade, não aquele pedaço de chocolate amargo. *Dietas são idiotas*, disse a mim mesma. *Nunca mais vou fazer isso.* Levei para casa a comida de verdade e comi tudo de uma vez só. Só que não me lembro de ter comido tudo de uma vez só. Em um minuto aquilo estava na minha cesta no supermercado, e no minuto seguinte havia dois pratos com dois garfos e algumas migalhas sobre a mesinha de centro na minha frente. A caixa de papelão da *pizza*, o recipiente de plástico e a nota fiscal eram as únicas provas do que eu tinha posto em meu corpo durante os minutos de lapso.

Tive muitos blecautes envolvendo comida nesses anos. Quando era adolescente, eu tinha o hábito de ir à cozinha à noite, quando todo mundo estava dormindo, roubar um pacote de biscoitos do armário e levá-lo para a cama. Queria comer um ou dois biscoitos, só isso. Mas antes de me dar conta, estava escondendo a embalagem vazia no fundo da lata de lixo, esperando que ninguém percebesse o que eu tinha feito. Se a enterrasse bem fundo para nem eu mesma poder ver, talvez também esquecesse o que tinha feito. Os doces de *Halloween* eram os piores. Se meus pais comprassem alguma coisa com muita antecedência, eu dava fim em tudo, e eles tinham que comprar mais antes do grande dia. E eu nunca conseguia entender como meus amigos ainda levavam esses doces no lanche da escola no meio ou fim de novembro, porque os meus duravam só alguns dias. Se tinha, eu comia. Fim da história.

Em 2012, minha penúltima tentativa de parar de beber se transformou no deslize e na recaída final. Passei 45 dias sóbria antes de decidir que aquilo tinha um limite. Estava cansada de ir a eventos e dizer às pessoas que não bebia, e farta das respostas que ouvia quando tentava explicar por quê. Tomei só duas cervejas naquela noite, mas depois senti que era meu dever beber tudo que via nas seis semanas seguintes, para compensar as seis semanas que tinha acabado de perder ficando sóbria. Não lembro de todos os drinques que consumi ou de tudo que fiz enquanto estava bêbada. Nada disso tinha importância. Eu estava cheia da sobriedade. Qualquer coisa que cruzasse meu caminho corria o risco de ser consumida.

Então, sim, eu sabia com que rapidez um pequeno deslize podia se transformar em uma recaída completa. Também sabia que o maior problema nem sempre era a própria recaída, mas as coisas que eu dizia a mim mesma sobre a recaída. Olhava para mim no espelho, agarrava a barriga e me amaldiçoava a ser gorda para sempre. *A celulite não vai a lugar nenhum, para que se esforçar?* Ou acordava e me dava uma surra verbal enquanto olhava para os hematomas reais em meu corpo, lembranças de quanto havia sido descuidada na noite anterior. *Bom trabalho, Cait. Você deve ter caído de cara na frente de todo mundo de novo, como o desastre que é.* E havia as manhãs nas quais eu acordava completamente vestida na cama, com uma caixa de *pizza* no chão, ou até na cama comigo às vezes, prova de que eu tinha encerrado uma noite de bebedeira com uma noite de orgia alimentar. As primeiras horas desses dias eram aquelas em que eu dizia as coisas mais cruéis a mim mesma.

Mas o pior, talvez, era quando descobria que, durante uma recaída, tinha falado ou feito alguma coisa que não condizia com meus valores ou minha moral, como mentir sobre onde estava, com quem estava ou o que estava fazendo. *Por que meus amigos ainda falam comigo?*, eu me perguntava. *Sou uma pessoa horrível.* Não sentia só culpa, sentia uma vergonha profunda dos meus atos. Em sua segunda TED Talk (palestra curta de 18 minutos cuja finalidade é divulgar uma ideia), "Listening to Shame" (Ouvir a Vergonha), Brené Brown diz que a diferença é que a culpa equivale a *fiz alguma coisa ruim*,

5. NOVEMBRO: BLECAUTE E RECUPERAÇÃO

enquanto vergonha equivale a *sou ruim*. Eu era residente permanente do mundo da vergonha. Dizia a mim mesma que era um fracasso, e a tentativa de me tornar melhor não era bem-sucedida, então devia simplesmente aceitar que era um fracasso e continuar fracassando. A mesma voz que me havia incentivado a fazer a mudança positiva era a que também me induzia a retomar meus antigos métodos e mais tarde me fazia sentir vergonha por isso. No entanto, por conhecer bem o som daquela voz, sempre confiei nela. Acreditava em tudo que ela dizia e fazia tudo que ela sugeria. E depois apanhava dela, porque sentia que também merecia. É assim e é por isso que o ciclo de abuso e ódio de mim mesma continuou por tantos anos. Sempre confiei nela, porque ela era eu.

Mas ali, enquanto olhava para a confirmação de pedido na minha caixa de *e-mail*, soube que não queria mais ser ela. E não queria mesmo que aquele deslize se transformasse em uma recaída.

Havia muito tempo que eu não fazia uma compra em um blecaute. Algumas pessoas chamam de compra por impulso, mas, para mim, a sensação era de blecaute mesmo. Como se eu tivesse entrado em coma por sessenta segundos e acordado com amnésia e um recibo. Surpreendentemente, quando o *e-mail* de confirmação chegou dessa vez, uma nova voz ecoou em minha cabeça. Não era uma voz que eu já tivesse escutado antes. Além de ter uma nota de pânico, ela era alegre e animadora.

Você não precisa de um e-reader novo! O seu está muito bom! E daí que tem que enfiar um alfinete no botão de resetar para ligá-lo? Fora esse detalhe, ele funciona muito bem! Não precisa ser trocado agora.

Ela encerrou com um conselho que nunca me deram antes: *Veja se consegue cancelar o pedido!*

Aquele era um tipo de impulso diferente, para mim, um impulso que me ajudaria a economizar dinheiro, em vez de gastá-lo, e encontrar alegria no que eu tinha, em vez de presumir que poderia comprar mais felicidade. Tive receio de que não desse certo. Acho que foi a primeira vez na vida que tentei cancelar um pedido, e a ideia de não ser possível fez meu coração bater duas vezes mais rápido. Mas era possível, e cancelei, ou melhor, removi um *e-reader* do pedido e comprei o que correspondia ao que ia doar. Depois suspirei de alívio, um suspiro tão alto que juro que os vizinhos puderam ouvir através das paredes de concreto. Se ouviram, devem ter imaginado teorias malucas, mas não pensaram que eu tinha simplesmente evitado gastar dinheiro com alguma coisa de que não precisava.

Por mais grata que estivesse por ter conseguido consertar meu erro, ainda passei as duas semanas seguintes pensando se havia falhado. De vez em quando, a velha voz me fazia uma visita. Ela aparecia com um único propósito, que era tentar me envergonhar pelo que eu havia feito. E estava certa, até certo ponto. Eu havia desrespeitado a proibição de compras, afinal, mesmo que momentaneamente. A sensação era de ter falhado. Havia sobrevivido por quase cinco meses sem fazer nenhuma compra desnecessária. *Por que tinha me convencido a quebrar as regras agora? Eram 162 dias de proibição. Eu não deveria estar curada?*

Podia ter deixado a vergonha se instalar, me sentido um fracasso e desistido completamente da proibição de compras. Mas o deslize não me tornava uma pessoa ruim. Eu não era ruim. O que fiz não foi ruim. Eu só havia escorregado. E sabia que não queria recair e repetir o ciclo de ódio por mim mesma. Isso sempre causava problemas. O único jeito de detê-lo seria remover aquilo de que a

5. NOVEMBRO: BLECAUTE E RECUPERAÇÃO

vergonha se alimentava: segredo. Ninguém nunca soube quanto eu me sentia mal em relação a todas as coisas que me convencia a fazer. Eu tinha que dar voz a esse erro. Tinha que ser honesta e admitir para os leitores o que havia feito.

Em um *post* intitulado "O mau hábito mais difícil de eliminar", compartilhei a história do *e-reader* e falei sobre como estava aprendendo que um dos meus piores hábitos era me convencer a fazer coisas que eu sabia que não deveria fazer. E era verdade. O mais difícil nessa história de eliminar maus hábitos, porém, era aprender a não me envergonhar por causa deles. Perceber que cometer um erro de julgamento não fazia de mim uma pessoa ruim. Sentir-me à vontade ao ser humana. A voz tentou me convencer a não publicar o *post*. *Vai mesmo admitir para o mundo que falhou? Que é fraca?* Mas não havia fraqueza nenhuma nisso. O fato de ser capaz de ver o que tinha feito, saber que a atitude não condizia com o que eu queria e mudar minha reação demonstrava o quanto eu havia progredido. Era um desafio, e um experiência de aprendizado sobre como viver intencionalmente com um objetivo em mente. Eu queria me tornar uma consumidora mais consciente. Sabia que não precisava de um *e-reader* novo. Comprar um teria sido um ato impulsivo, e não havia nada de consciente nisso.

Sempre haveria influências externas em jogo. Propagandas e comerciais não desapareceriam. Eu não poderia evitar os *shoppings* e as lojas *online* para sempre. Por mais contas que deixasse de seguir, sempre veria coisas nas mídias sociais. Até as roupas ou equipamento de mochileiro nas fotos dos meus amigos poderiam me influenciar, como as listas que todo mundo publicava em *blogs* com os livros que eu deveria ler a cada estação. E as pessoas sempre fariam comentários. Sempre refutariam minhas intenções e tentariam abalar a pouca força de vontade que eu ainda tinha, porque as pessoas sempre fazem comentários quando você decide adotar um estilo de vida que pode ser chamado de contracultura. Eu não poderia evitar, da mesma forma que não poderia evitar nenhuma outra coisa capaz de me fazer pensar em gastar dinheiro. Sempre haveria influências externas em jogo. Mas eu poderia mudar minhas reações a elas, e essa mudança tinha que começar dentro de mim.

6

Dezembro: criar novas tradições

- **Meses sóbria:** 23
- **Renda economizada:** 10% (viajei o mês inteiro de novo)
- **Total de objetos eliminados:** 54%

Alguns dias depois da *Black Friday*, embarquei em mais um avião e viajei para Toronto para trabalhar.

Trabalho havia começado a se tornar uma espécie de dor localizada, para mim. Quando entrei na empresa, mais de dois anos antes, éramos uma equipe pequena de seis pessoas. Trabalhávamos na sala de estar do CEO, o que foi um choque no meu primeiro dia. *Eu me demiti do emprego no governo para atravessar o país e trabalhar na casa de alguém? E usar o meu computador? Isso era de verdade?* Mas o choque logo se esgotou quando percebi que trabalhar para uma empresa tão pequena significava que eu podia ver de fato meus esforços sendo recompensados. Quando trabalhava para o governo, me debatia com o ritmo lento e também com a ideia de talvez nunca saber quem se importava com o trabalho que eu fazia. Ali eliminávamos coisas tangíveis da nossa lista de tarefas todos os dias, e cada uma delas era importante. Podíamos acompanhar os números e analisar os dados, ver que nosso trabalho era importante. Era bom, era empolgante.

Naquele tempo cada dia parecia ser diferente, o que eu também adorava. Em alguns dias eu era a editora e escrevia estratégias de conteúdo e acompanhava projetos escritos. Em outros dias, fazia a edição de infográficos e trabalhava com *designers* gráficos para dar vida a eles. E em outros dias ainda, eu mapeava projetos de grande escala que exigiriam a colaboração de vários redatores *freelancer*, e eu os contratava, delegava tarefas e publicava centenas de peças de conteúdo.

Os momentos mais memoráveis, porém, eram os dias em que trocávamos de função. Se o gerente administrativo estava fora, tínhamos que sair para comprar material de escritório e papel higiênico. Todos nós atendíamos o telefone e ajudávamos os usuários a navegar pelo site, o que era a parte mais frustrante ou a mais divertida do dia. E se o CEO se atrasava para uma reunião, recebíamos os primeiros convidados. O melhor era ver a reação deles quando percebiam que trabalhávamos na casa de alguém. Não sentíamos mais vergonha. Éramos a própria definição de uma *startup*. Não importava onde trabalhávamos, porque nosso trabalho importava.

Quando deixei Toronto para voltar a B.C. e trabalhar em casa, ainda éramos uma equipe pequena. Havia cinco pessoas no escritório, e mais três trabalhando à distância. Agora, dois anos mais tarde, nossa equipe tem quase vinte pessoas, e muitas delas se juntaram a nós nos últimos seis meses. Havia mais gente no escritório do que trabalhando à distância, uma proporção de quatro deles para cada

6. DEZEMBRO: CRIAR NOVAS TRADIÇÕES

um de nós. E quando falo em "nós" me refiro a mim e a um punhado de desenvolvedores. Não creio que os desenvolvedores se incomodavam por serem os poucos que trabalhavam à distância, ou mesmo que notavam, na verdade. Trabalhar sozinho era parte da natureza deles, e tenho certeza de que eram gratos por poderem trabalhar sem nenhuma interrupção.

Eu, por outro lado, me sentia cada mais desconectada da equipe que continuava crescendo. Não conhecia muitas daquelas pessoas novas, e a distância tornava quase impossível construir relacionamentos de verdade com elas. Minha melhor tentativa foi mandar *e-mails* simpáticos, fazer perguntas e marcar reuniões para podermos conversar mais. Mas quando finalmente conversamos mais, descobri que mais reuniões aconteciam agora sem mim, simplesmente por causa da proximidade existente entre os outros membros da equipe. Se você pode se debruçar sobre a mesa para fazer uma pergunta e tomar uma decisão executiva, por que não? Eu sabia que isso fazia sentido, mas ainda era doloroso ser excluída dessas decisões, principalmente quando eram relacionadas aos meus projetos.

Há outras questões, é claro. O próprio trabalho já não era tão satisfatório quanto antes, e eu me pegava detestando ter que escrever outro artigo com o único objetivo de obter uma classificação alta no Google. Eu também começava a sentir falta das pequenas coisas, como saber sobre a vida pessoal do núcleo dos seis. Houve um tempo em que fomos uma família. Passávamos cinquenta horas ou mais por semana em uma sala de estar, com sofás e uma lareira. Espaço de trabalho ou não, aquela era a sala onde as pessoas relaxavam e contavam suas histórias, e era isso que fazíamos. Em novembro, montamos uma árvore de Natal, acendemos a lareira e ouvimos música natalina enquanto trabalhávamos. Era nosso lar longe de casa. E eu sentia saudade disso. Agora a equipe trabalhava em um escritório na

King Street East, o que era um grande passo para a empresa e algo de que eles precisavam. Mas eu não fazia parte disso. Entrar no novo espaço com suas paredes e mobília brancas era empolgante para eles, mas eu sempre me sentia uma invasora quando ia visitar o escritório. Como se não houvesse mais espaço para mim lá. Aquela viagem não colaborou para mudar tudo isso. Só tornou tudo pior.

O objetivo da viagem era comparecer à festa de Natal da equipe. A primeira havia acontecido durante minha última bebedeira de seis semanas antes de eu parar de beber em 2012, o que serve para indicar que meu comportamento não era dos melhores. Foi nessa mesma noite que troquei de roupa três vezes, e acabei decidindo que um vestido era a melhor opção, e deixei a calça *jeans* no bar. Mas sempre fui uma bêbada alegre, e acordei com mensagens de texto dos colegas comentando quanto eu havia sido "fofa", "divertida" e "engraçada" na noite anterior. Era boa para beber e era boa para festejar. Odiava não lembrar de partes daquela noite, mas as mensagens validavam meu blecaute me lembrando de que eu era boa naquilo.

Viajei para nossa segunda festa de Natal em 2013, e essa foi a primeira festa a que compareci depois de parar de beber. Comprei um vestido azul e sapatos pretos de salto alto para a ocasião. *Isso é o que mulheres de 28 anos devem usar em festas*, pensei quando experimentei o vestido na loja. Quando entrei na festa, porém, senti que era a única pessoa fingindo ser adulta em uma sala cheia de adultos de verdade. Todo mundo estava bebendo, rindo e se divertindo, e ainda pareciam lindamente controlados. Eu não estava bebendo e não me sentia eu mesma naquela roupa. Foi então que soube que não me enquadrava mais ali. Passei a maior parte da festa na cozinha com alguns amigos, olhando por cima dos ombros deles e invejando quanto todos se divertiam sem mim.

6. DEZEMBRO: CRIAR NOVAS TRADIÇÕES

Dois anos depois de parar de beber, porém, a segunda festa de Natal sem bebida foi melhor. Mas nessa viagem eu não estava exatamente eufórica com a ideia de ser a única pessoa sóbria na sala, porém estava animada para passar um tempo com todo mundo, especialmente com o núcleo dos seis. Tentei socializar com alguns membros novos da equipe, mas esse não era mais meu ponto forte. Ninguém mandaria mensagens na manhã seguinte dizendo que eu era fofa, divertida ou engraçada. Mesmo assim, tentei. Queria conhecê-los. Em vários momentos das conversas, alguém mencionou que tinha lido meu *blog*. Uma das garotas novas disse até que era leitora havia anos. Confessou que tinha se sentido inspirada para começar uma proibição de compras de seis meses, relacionou as poucas coisas que se permitira comprar nesse tempo e compartilhou o progresso financeiro que já havia feito. Depois falamos sobre algumas coisas em que costumávamos gastar dinheiro, e o que estávamos aprendendo enquanto desentulhávamos a casa ao mesmo tempo. Tivemos que gritar a maior parte dessa conversa por causa da música, mas foi bom me conectar com alguém em função desses assuntos, especialmente porque me sentia desconectada da equipe havia muitos meses.

Algumas pessoas levaram a conversa para a fila do bar. Um dos acionistas da empresa era o garçom da noite. Ele era alto, bem-sucedido e simpático, mas tinha autoridade suficiente para eu sempre ter me sentido um pouco intimidada por ele. Quero dizer, ele era um dos motivos pelos quais eu tinha um emprego. Era uma das pessoas que pagavam meu salário, e concordavam me pagar mais a cada ano, e até permitiram que eu voltasse a morar em B.C. e continuasse trabalhando de lá. Eu o respeitava. Quando chegou minha vez, ele perguntou o que eu ia beber. "Cait não bebe mais!", uma das minhas colegas gritou, ao mesmo tempo em que eu pedia uma Sanpellegrino Limonata que tinha visto escondida atrás da Coca Diet. Ele não se incomodou com o pedido. Pegou a lata e perguntou se eu queria um copo com gelo, e esse foi o fim da conversa.

Ele não se importou. Mas eu me importei.

Quando as pessoas anunciam sua sobriedade, a sensação é de que pegaram aquela carta que você segura colada no peito e revelaram seu segredo mais sombrio ao mundo, o segredo de que você é fraca. Daria na mesma escrever "Não sei beber" na testa da pessoa que acabou de parar, ou uma opção mais simples, como "caso perdido", resolveria. Em situações como essa festa, isso também faz você sentir que eles resumiram seu valor a uma frase e transformaram você em nada mais que fofoca do escritório. E poucas pessoas pedem permissão para isso, aliás. Por algum motivo, muita gente se sente igualmente confortável anunciando sua sobriedade e o que comeram no almoço. O que podem não perceber é que um é uma escolha, e o outro é uma tática de sobrevivência.

Queria poder dizer que, dois anos depois, estava confortável o suficiente em minha sobriedade para poder rir desses momentos ou usar a perspicácia para mudar de assunto, mas ainda não havia chegado nesse ponto. O anúncio da colega me magoou e me fez lembrar que isto era tudo que eu seria para ela: uma novidade, algo sobre o que falar. Eu não queria mais ser conhecida como a sóbria. Não era só a sóbria. Havia mais que isso em mim. Não havia?

Naquela noite saí cedo da festa, e na manhã seguinte acordei ansiosa para chegar ao aeroporto. Queria ir para casa.

Assim que aterrissei em Vancouver, peguei meu carro no estacionamento e segui direto para o terminal de balsas. Normalmente eu levava quatro horas para chegar à minha cidade natal, incluindo uma longa

6. DEZEMBRO: CRIAR NOVAS TRADIÇÕES

espera no terminal, uma travessia de balsa que durava 95 minutos e mais trinta minutos de carro até a casa dos meus pais. Por ser uma viagem tão demorada, muitos habitantes detestam ter que usar a balsa, mas eu nunca me incomodei. Costumava passar o tempo todo dentro do carro, lendo um livro, assistindo a um filme no *laptop* ou dormindo. Se tivesse que calcular, diria que passei pelo menos cinquenta horas da minha vida dormindo nas balsas de B.C.

Eu tinha decidido passar o resto de dezembro em Victoria. Ninguém lá questionava minha sobriedade, a proibição de compras ou qualquer outro desafio que eu enfrentasse. Eles me apoiavam e comemoravam todas as mudanças que eu havia feito em minha vida, especialmente minha família.

Sei que algumas pessoas não conseguem imaginar uma estadia de duas semanas no pequeno quarto de hóspedes na casa dos pais durante as festas. Depois de ter passado esse tempo com a família de amigos e de ex-namorados ao longo dos anos, eu já tinha deduzido que a proximidade da nossa família não era muito comum. Isso era especial, e eu não havia valorizado essa união quando era adolescente, mas agora a considerava muito importante. Alli ainda morava em casa e estudava na Universidade de Victoria, e Ben viria passar duas semanas em casa nas férias da Universidade de Alberta. Estaríamos todos novamente sob o mesmo teto para as festas, e eu não conseguia imaginar um jeito melhor de encerrar o ano.

Estava ansiosa para ver como seria o Natal para nós no ano da minha proibição de compras. Quando era mais nova, embora nunca tenha sido muito religiosa, a religião fazia parte da minha vida. Nós três frequentamos creches administradas pela igreja quando éramos crianças. Frequentamos uma igreja anglicana por um tempo, pouco tempo depois de minha mãe ter conhecido meu pai, cuja família era inglesa. A maioria dos meus amigos ia a uma igreja cristã na rua da nossa casa, e eu ia com eles na manhã de domingo, se tivesse dormido na casa de alguém na noite anterior. E nos primeiros anos do ensino médio, um grupo de amigos e eu fomos àquela mesma igreja cristã todas as quintas-feiras, à noite, para o grupo de jovens.

Ainda assim, nunca me senti ligada a nenhuma religião. Achava as cerimônias e tradições bonitas, os sermões profundos e significativos, e os hinos me faziam querer cantar alto para todo mundo ouvir. Mas nenhuma religião jamais me falou diretamente ou me fez sentir confortável concordando com sua lista de crenças. Não vou pôr palavras na boca de minha família, mas acredito que o mesmo pode ser dito pela maioria de nós com base em como fomos criados e no papel que a religião desempenhou, e não desempenhou, em nossa vida. Então o Natal, para nós, não era um feriado religioso. Mas, sim, havia presentes. Ah, sempre havia presentes.

O primeiro Natal de que me lembro é de quando eu tinha quatro anos. Minha mãe, minha tia e eu fomos para Windsor, Ontário, visitar minha avó e os parentes. Na época eu ainda era filha única e a única neta de minha avó. Nem preciso dizer que fui mimada. Acordava na manhã de Natal e encontrava a sala da casa dela cheia de presentes.

O Natal foi assim durante o restante da minha infância, especialmente quando nossa família cresceu e passou de um para três filhos. Os presentes se espalhavam em volta da árvore e eram empilhados em mesinhas e até nos cantos da sala. Essa era a década em que a propaganda ganhou força, os cartões de crédito ganharam popularidade e o consumismo começou a escapar ao controle. Pessoas queriam casas maiores, carros melhores, as últimas tendências e mais de tudo. Até Madonna cantou sobre como vivíamos em um mundo materialista. Por isso não me surpreende que nosso Natal tenha se transformado nisso, nem acho que meus pais tinham a intenção de nos mostrar que era esse o significado das festas. Em vez disso, me sinto mal por eles

6. DEZEMBRO: CRIAR NOVAS TRADIÇÕES

terem sido absorvidos por isso. E me sinto mal por terem gastado seu dinheiro ganhado com muito trabalho em coisas de que provavelmente não precisávamos. Ou melhor, coisas de que com toda certeza não precisávamos. Não era incomum que na primavera ou no verão encontrássemos no fundo do armário objetos que estavam lá desde o dia 26 de dezembro.

Felizmente, à medida que ficamos mais velhos, essa tradição de encher a sala de presentes foi perdendo força aos poucos. Minha mãe desistiu da ideia de ter que gastar o mesmo valor com cada um de nós e garantir que cada um tivesse o mesmo número de presentes para abrir na manhã de Natal. Só pedíamos algumas coisas de que precisávamos e queríamos, e o dia passou a ter a ver menos com presentes e mais com o tempo que passávamos juntos. E embora a proibição de compras me permitisse comprar presentes para as pessoas naquele ano, também promoveu algumas conversas importantes em nossa família.

Nos primeiros meses da proibição de compras, vou admitir, pensei que teria uma lista de coisas para pedir quando chegasse o Natal. Com certeza iria precisar de roupas novas ou iria querer um punhado de livros. Em vez disso, aconteceu exatamente o contrário, e só havia uma coisa de que eu precisava de verdade: um par de sapatos. Quando minha mãe perguntou o que Alli e Ben queriam, as respostas foram parecidas. Mesmo como universitários, os dois disseram que não precisavam realmente de nada. Todos nós havíamos chegado ao estágio em que podíamos comprar o que quiséssemos, e não nos sentíamos bem simplesmente passando dinheiro de um lado para o outro por intermédio de cartões de presente ou valores em envelopes.

Com isso em mente, minha mãe e eu tivemos a ideia de não trocar presentes naquele ano. Mas nem todo mundo concordou de imediato. Minha avó, em particular, não suportava a ideia de não dar presentes de Natal aos netos. Ela não queria entrar nesse esquema, mas queria nos dar alguma coisa. Era tradição, disse, e não estava errada. Essa havia sido uma tradição durante 28 anos da minha vida e em todos os anos que ela havia passado nesse mundo. Tradições são as raízes das famílias, parte de como nos identificamos como membros da tribo. A ideia de arrancá-las do chão era como apagar tudo e pedir a todos para plantar novas sementes, começar de novo. É claro que a ideia encontrou resistência.

No fim, chegamos a um acordo. Em vez de todo mundo gastar as habituais centenas e até milhares de dólares em presentes, juntamos US$ 700 para gastar nos sete (nós cinco, minha tia e minha avó). As regras para gastar o dinheiro eram simples: só podíamos pedir coisas de que realmente precisássemos, e cada pessoa não poderia gastar mais de US$ 100 nela.

O processo de compras foi indolor, porque havíamos removido o estresse adicional de percorrer *shopping*s lotados e tentar adivinhar o que as pessoas queriam. Quando acordamos na manhã de Natal, a sala estava quase exatamente igual a na noite anterior, com poucos presentes embaixo da árvore e nossas meias penduradas meio cheias. Em todos os outros anos, corríamos à sala para abrir os presentes e íamos viver o resto do dia. Naquela manhã, fizemos o café da manhã e comemos juntos como uma família antes de tudo, depois passamos alguns minutos abrindo os presentes e trocando abraços maiores e mais gratidão do que jamais tínhamos trocado antes.

Quando terminamos, pegamos nossos dois Yorkshire terriers, Molly e Lexie, e fomos de carro à Willows Beach. O tempo era perfeito para uma caminhada na praia, com o sol morno nos envolvendo e o ar frio o bastante para podermos ver nossa respiração. "As meninas", como as chamávamos, corriam pela areia com todos os outros cães, com cujos donos trocamos votos de boas-festas. Depois Alli montou

6. DEZEMBRO: CRIAR NOVAS TRADIÇÕES

sua câmera no tripé, e tiramos fotos de família pela primeira vez. Repito, foi a primeira vez. Tínhamos fotos de família de quando éramos minha mãe, meu pai e eu. Tiramos mais algumas quando Alli nasceu. Mas depois do nascimento de Ben, em todos esses anos, nunca paramos todos na frente de uma câmera e pedimos para alguém nos fotografar. Aquelas fotos na praia não ficaram perfeitas. Havia muita luz atrás de nós, e todos ficamos com o rosto mais escuro do que era. As meninas se debatiam para escapar dos braços de meu pai. E o ângulo fez parecer que Alli era mais alta que eu, embora eu seja, na verdade, uns dez centímetros mais alta que ela. Mas as imagens registraram o melhor Natal que já tivemos. Também registraram o último que passaríamos juntos.

7

Janeiro
reescrever as regras

Meses sóbria: 24
Renda economizada: 56%
Confiança de que posso concluir esse projeto: 90%

Voltei ao meu apartamento em Port Moody na véspera de Ano-Novo, e convidei Kasey para comemorar a data. Montamos juntas alguns pratos de queijo, bolachas, vegetais e doces, bebemos água com gás e vimos filmes de Natal na frente da minha lareira. Sei que posso falar por Kasey quando digo que nos despedimos alegremente por volta das dez da noite e fomos dormir antes da meia-noite. Naqueles dias, isso era tudo que eu esperava de uma festa.

Janeiro dava sinais de que seria um mês tranquilo. Eu tinha apenas uma viagem planejada: cinco dias em Toronto para trabalhar mais uma vez. Isso me daria a oportunidade não só de passar mais tempo em casa, mas também de economizar mais dinheiro. Estava feliz com o progresso que tinha feito na primeira metade do tempo de proibição de compras – economizei em média 19% da minha renda. Comparados aos 10% ou menos (porque tenho que ser honesta e dizer que costumava ser menos) que economizava por mês antes, isso era bom. Mas eu ainda sabia que poderia ser melhor. Sempre que ia a Toronto para trabalhar, só gastava com alimentação e lazer, coisas que fazia com os amigos nas horas que não passava no escritório. No meio de janeiro, a maioria das pessoas hiberna em casa nesses horários, tentando escapar dos ventos frios que sopravam pelas ruas da floresta de cimento. Isso significava que eu passaria a maior parte do meu tempo livre nessa viagem encolhida no sofá da minha antiga companheira de casa e o cachorro dela, Charlie. Meu coração e minha carteira estavam preparados para isso.

 Quando cheguei ao apartamento de Jen, encontrei uma cena muito familiar. Havia sacos pretos de lixo por todos os lados. Um ao lado do outro, ao lado do outro, encostados à parede no corredor que levava da porta da frente à sala de estar. No alto da escada, havia mais sacos enfileirados até os quartos, além de caixas de papelão e plástico. Eu não sabia o que continham, mas sabia *exatamente* o que continham: coisas que Jen havia decidido que não queria mais em seu apartamento de dois andares. Ela estava fazendo faxina, desentulhando.

 Jen e eu havíamos crescido juntas em Victoria. Nossos pais moravam a poucos quarteirões de distância, e nós estudamos juntas desde o terceiro ano, quando minha família se mudou para o bairro. Dormíamos na casa uma da outra e jogávamos basquete da liga noturna na adolescência. Nossos interesses seguiram por caminhos distintos no ensino médio, mas nos reencontramos na faculdade e somos próximas desde então. Eu a visitei em Toronto pouco depois do rompimento com Chris, em 2008, e soube que aquela era uma

7. JANEIRO: REESCREVER AS REGRAS

cidade onde queria passar mais tempo. Quando comecei a trabalhar para a *startup* de finanças, em 2012, Jen me convidou para morar no quarto de hóspedes de seu apartamento alugado. Agora ela me hospeda sempre que vou à cidade. A casa de Jen era como minha casa, e ela era mais irmã que amiga.

Só quando me vi entre as caixas e os sacos de tralha, porém, olhei para tudo que Jen havia decidido conservar e comecei a ver quem ela realmente era. Havia pinturas em molduras que ela mesma tinha lixado e melhorado com um novo acabamento. Mesas e aparadores aos quais tinha dado o mesmo tratamento, alguns com gavetas que havia forrado com papel de parede ou pintado com cores vibrantes. Álbuns de fotos e impressões que havia criado para documentar algumas das férias mais memoráveis que teve com amigos. O relógio gigante que tinha doze xícaras e pires antigos colados nele, um para cada hora. E a parede de lousa que estava sempre coberta de novas citações e desenhos. *Como nunca notei como Jen é criativa? Como é talentosa, inventiva e expressiva? Eu a conheço há vinte anos, até já moramos juntas, como nunca vi isso antes?*

Levei esse pensamento para casa e comecei a me perguntar por que eu nunca tinha sido mais criativa. Não era por falta de criatividade e talento na família, com certeza. Quando era jovem, minha mãe sempre podia ser vista com um violão nas mãos. Ela até se submeteu ao processo seletivo de uma faculdade de música e foi aceita, mas desistiu e se mudou para Toronto, depois Vancouver e depois Victoria. Mas levou o violão, e sempre era vista com ele nas mãos. Lembro-me de ouvi-la tocar e cantar quando eu era criança. Minha mãe adorava *rock*, e se não estava tocando, estava ouvindo bandas como Aerosmith, Guns N' Roses, Led Zeppelin, Pearl Jam, Pink Floyd e The Tragically Hip. Quando ela não estava no quarto, às vezes eu abria o estojo do violão e dedilhava as cordas, só para ver qual era a sensação de tocar.

Minha mãe era alguém que mantinha sempre as mãos ocupadas. Quando nasci, ela e minha tia alugavam uma loja na rua Lower Johnson, em Victoria, hoje endereço de uma das lojas de roupas mais *hipster* da cidade. Lá elas vendiam tecido e coisas que tinham desenhado e feito com ele. Roupas infantis, camisetas, *leggings* e vestidos pendurados em araras. Minha tia também fazia colchas, que elas vendiam na loja. Hoje tenho a impressão de que minha mãe nunca passou muito tempo longe de sua máquina de costura. As roupas que não encontrava para mim nos brechós, ela mesma fazia, inclusive as mais elaboradas fantasias de *Halloween* que uma criança pode querer. Quando eu tinha quatro anos, ela me transformou na Minnie, com as luvas, os sapatos, as orelhas e o laço. Aos oito, fui uma versão loira da Princesa Jasmine, do filme *Aladim*. Fantasias pareciam ser sua especialidade, e ela também as fez para Alli, para quem também desenhou saias de patinação artística e vestidos de competição. Minha mãe transformou essa atividade em um pequeno negócio e logo se tornou a mais requisitada costureira do clube de patinação artística.

Meu pai era parecido, embora sua criatividade se manifestasse na forma mais construtiva. A casa em que crescemos foi a mesma na qual ele envelheceu, vendida para ele e minha mãe quando a mãe dele se aposentou e mudou para Gales, e seu trabalho podia ser visto em todos os cômodos. Ainda é possível ver linhas apagadas no teto do porão de quando ele ajudou o pai a demolir as paredes e criar um espaço aberto. Ele transformou a garagem em uma cozinha totalmente funcional quando minha avó se mudou de Ontário e morou conosco por um tempo. Quando a mãe dele faleceu, meu pai usou o dinheiro da herança para construir uma garagem de 80 m² com as próprias mãos. Ele reduziu o deque ligado à casa, e depois de um tempo o removeu completamente e fez um novo pátio de cimento no quintal. Quando o sistema de drenagem externo teve que ser substituído, ele

7. JANEIRO: REESCREVER AS REGRAS

cavou uma trincheira em volta da casa toda e fez o trabalho sozinho. Também arrancou o reboco, cortou, pintou e instalou o novo acabamento, trocou todas as janelas e instalou dois fogões a lenha. Meu pai era um pouco impulsivo. Assim que via um problema, ele pensava em como resolvê-lo e começava a trabalhar – e fazia tudo direito, nada menos que isso. A diferença entre nós era que ele realmente resolvia o problema. Eu só comprava coisas com a intenção de resolvê-lo um dia, e um dia não chegava com muita frequência.

Não é surpreendente que meus pais tenham unido forças e encontrado soluções ainda mais criativas para a casa – mais especificamente, o que foi levado para dentro da cozinha. Meu pai construiu canteiros do tamanho de colchões *queen size*, e nós os enchemos de vegetais de todas as formas, cores e tamanhos. Abóbora, abobrinha, pepino, batata, nabo, cenoura, tomate e ervas. Ainda me lembro de correr aos canteiros com uma tesoura, enfiar os dedos na terra e cortar cebolinhas para o jantar. O lado direito do quintal era ocupado por uma fileira de árvores frutíferas. Do fundo para a frente: maçã, pera, ameixa, cereja, e, no fim da fila, espremidos contra a casa, pêssego e nectarina. Do lado esquerdo do quintal, mais maçãs e pés de amora e framboesa que caíam no quintal do vizinho. Na primavera, passávamos os fins de semana colhendo frutas e fazendo conservas, o que não era uma tarefa fácil em nossa cozinha pequenina, onde estávamos sempre nos espremendo. Quando o verão dava lugar ao outono, fazíamos geleia caseira de amora (ainda é minha favorita) e assávamos e congelávamos tortas de maçã, mirtilo e amora em quantidade suficiente para comer até depois do Natal. Meu pai fazia a massa, e minha mãe preparava o recheio. Era sempre um trabalho em equipe.

Meus pais se orgulhavam de fazer tudo sozinhos. Por que eu não havia feito a mesma coisa? Por que não me interessei mais, não fui mais criativa e adotei suas habilidades? E por que não reconheci tudo que eles fizeram juntos para nós? Essas perguntas já eram pressão suficiente por elas mesmas. E se tornaram quase uma obsessão quando Alli telefonou para me dizer que achava que nossos pais iam se divorciar.

Nunca imaginei que um dia ouviria minha irmã dizer "Acho que o papai e a mamãe vão se divorciar".

Alguns filhos percebem quando isso vai acontecer. Crescem forçados a ouvir os pais discutindo e vivem em uma casa cheia de tensão. Algumas crianças percebem que a situação é tão ruim que quase rezam para o fim estar próximo. Não foi nesse tipo de casa que crescemos. Nunca imaginei que um dia minha irmã diria isso.

Ela ligou para mim chorando, soluçando tanto que eu tinha que lembrá-la de respirar a todo instante. Implorei para ela se acalmar e explicar direito, mas suas palavras não faziam sentido. Arfando para absorver mais ar, ela me contou que não tinha provas, que era só uma sensação. Tinha escutado algumas conversas estranhas e visto pequenos sinais pela casa, coisas que plantaram a ideia em sua cabeça, mas não tinha provas. Ainda assim, nada a convencia do contrário.

Eu não conseguia juntar as peças para ela. Em dezembro, minha mãe tinha perguntado se eu poderia voltar a Victoria em fevereiro e ficar com os cachorros se ela e meu pai viajassem para Cuba. Eles estavam estudando as datas e só precisavam confirmar a agenda de trabalho de meu pai, mas logo tomariam uma decisão. Essa conversa tinha acontecido só três semanas antes, depois do melhor Natal que tivemos. Como as coisas podiam ter mudado tão drasticamente? Era impossível. Alli devia estar enganada.

7. JANEIRO: REESCREVER AS REGRAS

Pedi a ela para me manter informada sobre as novidades e disse que poderia me ligar a qualquer hora. Ela ligou, e estava certa, as coisas pareciam difíceis. Eu estava a uma viagem de balsa de casa, e tudo que podia fazer era me manter mais próxima e tentar descobrir alguma coisa nessas conversas. Minha mãe gostou de ter notícias minhas na primeira vez, mas depois se afastou. Meu pai permanecia estranhamente quieto. O homem que tinha alguma coisa a dizer sobre tudo de repente não tinha nada a dizer sobre nada. Passamos de uma família que conversava sobre todos os assuntos a uma família que falava sobre o tempo.

Alli passou por uma fase em que pensou que o problema era ela. Ligava para perguntar se eu achava que as coisas melhorariam se ela se encarregasse de mais tarefas domésticas ou tirasse notas melhores na escola. De novo, pedi para ela se acalmar e disse que podia fazer o que achava que a faria se sentir melhor, mas que a culpa não era dela. O que quer que estivesse acontecendo entre nossos pais não era culpa dela. Eu não sabia muito, mas tinha certeza disso.

Não contei para Alli as perguntas que fazia a mim mesma. Esta é a maldição de ser a mais velha, especialmente oito e dez anos: você tem que carregar o peso dos problemas dos irmãos mais novos, além dos seus. Eles procuram o mais velho por um motivo. Você não quer superprotegê-los, mas quer protegê-los. Quer protegê-los da confusão e do sofrimento, então carrega as dores deles e as suas. Mas ninguém sabe que você tem sua própria confusão e seu sofrimento. Ninguém sabe que está sofrendo.

Eu não me perguntava se era parte do problema, não porque era perfeita ou porque meus pais nunca haviam discutido sobre como lidar com as confusões que eu criava quando era mais nova, mas agora era adulta. Todos nós éramos. Alli, Ben e eu não podíamos ser parte do problema. Porém, eu me perguntava o que poderia fazer para solucioná-lo. Mesmo que fosse só um remendo, por enquanto, eu faria alguma coisa. Nós, a família, estávamos perdidos, e eu faria qualquer coisa para colocar todo mundo no barco de novo e remar na direção certa.

Esse era o papel que sempre desempenhei na família. Com meu pai longe metade do ano, cresci sabendo que tinha que estar preparada para arregaçar as mangas e ajudar quando fosse necessário. Alli e Ben não tinham as mesmas responsabilidades. Eram chamados a lavar a louça e tirar o lixo. Eu era convocada para cuidar deles. Eu não era uma das "crianças", eu era o terceiro adulto. E sempre lidei bem com isso. Achava que lidava bem com isso. Mas imaginar meus pais separados me fez voltar à realidade, a de que eu era um dos filhos deles e não queria que isso acontecesse. Queria que minha família continuasse junta.

Quanto mais eu sentia que as coisas escapavam do meu controle, mais começava a me perguntar por que não havia reconhecido tudo que meus pais fizeram juntos por nós. Por que não deixei minha mãe me ensinar a costurar? Lembranças de pedir para ela me ajudar, ou melhor, fazer meus trabalhos de costura no ensino médio, me enchiam de remorso. Por que não tinha ao menos olhado o que ela fazia? Demonstrado algum interesse por suas atividades? Até considerado aprender uma habilidade que poderia me ajudar? E por que não deixei meu pai me ensinar a trocar o óleo do carro? Por que não tinha ao menos olhado o que ele fazia? Demonstrado algum interesse por suas atividades? Até considerado aprender uma habilidade que poderia me ajudar? O que fiz, em vez disso?

Eu tinha a resposta para essa última pergunta, e era que paguei por coisas. Em algum momento, entre crescer na revolução digital, ser parte do que eu gostava de chamar de "geração Pinterest" (em que todo mundo gosta de coisas novas e combinando) e sair de casa, eu

7. JANEIRO: REESCREVER AS REGRAS

havia escolhido não aprender as mesmas habilidades que meus pais tinham, sabendo que poderia pagar, e pagar pouco, aliás, por tudo, em vez de fazer. Dei mais valor à conveniência do que à experiência de fazer tudo sozinha. Isso não refletia em nada minha ética de trabalho, e não correspondia a todas as habilidades que meus pais tinham e haviam transmitido. Eu sabia cozinhar e sabia confeitar, e havia ajudado a cuidar de Alli e Ben e manter a casa limpa durante anos. Mas por que eu me daria o trabalho de cultivar vegetais se podia comprá-los no mercado barato descendo a rua? Por que passaria horas costurando uma camiseta ou regata se podia comprar uma por US$ 5? Por que daria sangue, suor e lágrimas para refazer o acabamento de um móvel quando podia comprar algo novo que já estivesse pronto? Esse era o raciocínio que adotei por anos. Se podia pagar, pagava, e normalmente com um cartão de crédito.

Pior era pensar que tinha gastado dinheiro para economizar tempo, e depois desperdiçado cada minuto dele. Desde os quatorze ou quinze anos, minha vida girava em torno da televisão. Eu sabia quantos dos meus programas favoritos eram exibidos em cada dia e planejava meus horários de acordo com isso. As noites de segunda, quinta e domingo eram preenchidas por dois ou três programas de uma hora de duração, então eu não podia fazer mais nada, a menos que as pessoas quisessem ir em casa e assistir aos programas comigo. (Percebeu que sexta e sábado não entraram na lista? Era como se as emissoras soubessem que nessas noites eu tinha que ir para a balada.) Mesmo nas noites durante a semana, eu ainda preferia chegar em casa a tempo de assistir ao programa de que gostava.

O vício piorou quando temporadas das minhas séries favoritas começaram a sair em DVD. Não me incomodava já ter visto todos os episódios, eu queria ver tudo de novo, e via, frequentemente mais de uma vez. Isso acontecia mais ou menos na mesma época em que a expressão *binge watch* (ou "maratonar" séries) era popularizada, e eu maratonava. Passava tanto tempo sentada em um canto do sofá de couro marrom no nosso porão, que ele acabou rasgando. E o pior era que a desculpa principal que eu dava a meus pais para não ajudar ou aprender com eles era que "estava muito ocupada". Não estava ocupada demais para ver *The O.C.* tantas vezes que era capaz de repetir quase todas as palavras das quatro temporadas. Mas estava ocupada demais para deixar meus pais transmitirem a mim seu conhecimento. Estava ocupada demais para passar mais tempo com eles. Estava ocupada demais para criar aquelas lembranças.

Sabia que não estava sozinha nisso, no hábito de passar horas na frente da televisão e dar a desculpa do "estou ocupada demais para fazer qualquer outra coisa". Surpreendentemente, descobri que essa não só é uma característica da minha geração, mas algo que acompanha muita gente desde que os equipamentos eletrônicos se tornaram parte proeminente de nossa vida. Na universidade, uma das minhas aulas favoritas era sobre estudos culturais e mídia, e um dos primeiros momentos "eureca" que tive no curso aconteceu quando eu fazia um trabalho para essa matéria sobre *flow*. *Flow*, na mídia, é mais uma palavra para programação, e era usada para descrever a transição suave que as emissoras criavam de um programa para outro (inclusive os anúncios entre um e outro) para garantir que o telespectador assistisse ao que fosse transmitido por aquela emissora. O anúncio rápido no fim de um programa avisando o que vem a seguir é feito por um único motivo: impedir que você mude de canal. E comigo isso funcionou durante anos.

Uma das melhores coisas de ter estourado o limite do cartão em 2011 foi ter que abrir espaço no orçamento, o que me obrigou a cancelar a tv a cabo. Nunca voltei atrás nessa decisão, e duvido que volte um dia. Não ter tv a cabo me deu um tempo que usei para me

7. JANEIRO: REESCREVER AS REGRAS

formar, começar o *blog*, trocar de carreira e começar a trabalhar como *freelancer* também. E mesmo com tudo isso, ainda consigo sair, fazer trilhas com amigos e passar mais tempo com gente que amo. Nunca ficava "ocupada demais". Tudo que fiz no passado foi escolher com o que queria me ocupar. Prioriзei a televisão em detrimento das pessoas e perdi um tempo precioso com elas. Não queria perder nem mais um minuto, por isso decidi que era hora de finalmente pedir aos meus pais a ajuda que um dia eles me haviam oferecido.

Começou em um dia que eu sabia que ia chegar com o tempo. Eu sabia que, em algum momento desse ano do menos, chegaria um dia em que alguma coisa minha se desgastaria, quebraria ou chegaria ao fim, ou eu teria que substituir esse bem. No fim, a primeira coisa que chegou ao fim foi uma calça de pijama, a única que eu tinha. O tecido enroscou em alguma coisa e rasgou na costura. Meu primeiro impulso: jogar a calça fora. Era barata, feita de tecido simples, comprada em uma loja de bancas na cidade. E eu podia substituí-la. Desde que me desfizesse do objeto original, eu poderia substituir coisas que precisassem de substituição. Essa era uma das regras. E não custaria caro.

Mas segui um impulso diferente, que foi pedir ajuda às mulheres da família, minha mãe, minha tia, minha avó e Alli. "Quando eu for para casa no mês que vem, vocês podem me ensinar a costurar?" Elas ficaram surpresas, mas eufóricas. "É claro!", todas responderam.

Depois disso, minhas perguntas não tiveram mais fim. *Como sabe que linha usar? O que acontece se você errar? Pode me emprestar sua máquina de costurar para eu treinar em Port Moody? Tem algum risco de eu quebrar a máquina? Quando é a época certa do ano para plantar pepino? E couve, pimentão e tomate? Acha que consigo montar uma horta* em um contêiner no meu deque? Que tamanho de contêiner devo usar? E de que tipo de terra vou precisar? Também preciso de fertilizante? Quanto acha que isso custaria? Quando devo colher as frutas para fazer geleia? No começo de agosto, no fim de agosto ou mais tarde? Quanto tempo demora para fazer uma receita de geleia? Vou levar o fim de semana inteiro, ou dá para fazer em um dia? E qual é a proporção certa de frutas e açúcar? Agora me conta o que você sabe sobre compostagem. Acha que consigo manter um pequeno recipiente de compostagem no meu deque? O que faço com ele quando ficar cheio, já que meu prédio não está equipado para remoção de composto? Isso se tornou infinito. Eu parecia uma criança pequena tentando entender como o mundo funcionava.

Além de fazer essas perguntas aos meus pais, cavei fundo na internet e encontrei algo em que não havia pensado antes. Quando comecei a proibição de compras, escrevi sobre como queria adotar o "minimalismo" e aprender a viver com menos, e eu havia feito isso. Àquela altura, tinha tirado de casa 54% dos meus pertences, comprado poucas coisas da lista de compras aprovadas e me impedido de fazer um punhado de compras desnecessárias. Isso parecia ser suficientemente minimalista. Eu entendia a parte do "menos" e podia quase ver a luz no fim do túnel. Sabia que conseguiria cruzar a linha de chegada se mantivesse o que estava fazendo por mais cinco meses. Mas o minimalismo parecia estar enfrentando uma crise de identidade, porque, quando fui procurar dicas de como começar um pequeno canteiro, produzir menos lixo e ser mais autossuficiente, me surpreendi por também encontrar a palavra *minimalismo* nos artigos, mas usado como sinônimo de *vida simples*. Todos os artigos que lia sobre isso me lembravam de como havia sido minha infância. Revia meus pés na terra, a mesa da cozinha coberta de massas caseiras para torta e o armário lotado de conservas de frutas. Queria aquilo de novo. Precisava daquilo de novo.

7. JANEIRO: REESCREVER AS REGRAS

Então, fiz mais perguntas e mais pesquisa, até concluir que, para ter uma vida mais simples, eu teria que mudar algumas regras da proibição de compras. Queria poder comprar suprimentos para uma horta na caixa, plantar sementes e cultivar alguma coisa. Queria ter todos os ingredientes para fazer velas, poder criar alguma coisa bonita e útil para mim. E queria aprender a produzir produtos de limpeza, inclusive xampu e condicionador, para poder provar que isso era possível e ainda usar menos substâncias químicas. No *blog*, escrevi que estava "aumentando o nível de dificuldade" e tentando me desafiar ainda mais, e não menti. Mas a verdade era que estava mudando as regras para tentar recuperar parte da vida que um dia tive.

7. JANEIRO: REESCREVER AS REGRAS

Novas regras para a proibição de compras

O QUE POSSO COMPRAR:

- » Comida
- » Cosméticos e higiene pessoal (só quando acabar)
- » Presentes para outras pessoas
- » Itens da lista de compras aprovadas
- » Material de jardinagem
- » Ingredientes para fazer produtos de limpeza/detergente para roupas
- » Material para fazer velas

O QUE NÃO POSSO COMPRAR:

- » Café para viagem
- » Roupas, sapatos, acessórios
- » Livros, revistas, cadernos
- » Objetos para a casa (velas, decoração, mobília, etc.)
- » Eletrônicos
- » Utensílios básicos de cozinha (filme plástico, papel-alumínio, etc.)
- » Produtos de limpeza/detergente para roupa

8

Fevereiro: abrir mão do futuro

Meses sóbria: 25
Renda economizada: 53%
Total de objetos eliminados: 60%

No começo de fevereiro, fui sozinha à cidade de Nova York. Era a terceira visita que eu fazia, e seria a mais memorável. Eu já tinha aprendido que Nova York é um destino de viagem que pode ser barato ou caro, depende de quem viaja. Daquela vez, usei pontos para economizar na passagem aérea e fiquei na casa de minha amiga Shannon para economizar com hospedagem. Além de café, alimentação e uma viagem de elevador no Top of the *Rock*, não gastei nada. Nem podia, porque estava proibida de comprar.

O que fez a viagem tão memorável foi que ela coincidiu com a ida de dois amigos à cidade. Leanne era colega e escrevia no espaço de finanças pessoais que ficava em Londres, Inglaterra. O que começou como uma troca de comentários de duas *blogueiras* nos *posts* uma da outra se transformou em duas amigas trocando longos *e-mails* sobre dinheiro, trabalho e relacionamentos. David era outro blogueiro canadense com quem eu havia feito contato um ano antes. Seu jeito de escrever era fresco e cheio de *insights*, e me deu muitas maneiras novas de pensar sobre dinheiro, trabalho e vida. O fato de estarmos os três no mesmo lugar por alguns dias era uma feliz coincidência. Essa é a magia de Nova York.

    Leanne e eu fizemos o que os turistas fazem: tiramos fotos do sol se pondo sobre a cidade da plataforma de observação do 30 *Rock*, depois sentamos no chão da Grand Central Station e tiramos mais fotos de baixo para cima. David e eu andamos muito, do East Village ao West Village pela High Line, através de Chelsea e de volta ao East Village, com três paradas para café no caminho. Aquele mês de fevereiro foi um dos mais frios já registrados, mas eu não me importava. Talvez nem tivesse notado se não tirasse as luvas toda hora para olhar o celular.

    Durante todo o tempo que passei em Nova York, Alli me mandou mensagens com atualizações sobre o que acontecia em casa. Quando éramos mais novas, aprendemos que, quando alguém na família estava fora da cidade, ou mais especificamente, quando nosso pai estava no mar a trabalho, não devíamos contar nada sobre discussões ou preocupações. Essa pessoa não poderia ajudar a resolver as coisinhas que surgiam todos os dias, e falar sobre elas só serviria para causar estresse e preocupação. Sempre pensei que essa era uma boa lição para relacionamentos de longa distância. Mas agora era diferente. Alli não tinha mais ninguém com quem conversar. Não tinha com quem discutir as conversas que teve com nossa mãe ou nosso pai e que a deixavam inquieta. Ela precisava se acalmar. Por isso, não pedi para

8. FEVEREIRO: ABRIR MÃO DO FUTURO

ela parar. Em vez disso, ficava com os dedos duros de frio cada vez que tirava as luvas para falar com ela. E quando voltei para casa, sabia que precisava ir a Victoria para ver como as coisas estavam.

Minha primeira noite na casa da família foi sossegada. A conversa girou basicamente em torno da minha viagem a Nova York e meu trabalho. O dia seguinte também foi tranquilo. Sossegado de novo, mas todo o resto parecia funcionar como sempre, trabalho típico e rotina. Meus pais sentavam-se juntos à mesa da cozinha de manhã, enquanto minha mãe se preparava para ir trabalhar e meu pai lia o jornal. Eles bebiam café e chá, conversavam e até riam. No terceiro dia, eu os vi cumprir esse mesmo ritual matinal novamente e comecei a me perguntar com o que Alli estava tão preocupada.

Naquela tarde, eu estava trabalhando na sala de jantar, fazendo anotações em um bloco que tinha pegado na cozinha. Quando o espaço de uma página acabou, passei para a seguinte e encontrei um pedaço de papel que havia sido deixado dentro do bloco. Estava dobrado ao meio, com o texto impresso virado para fora, e a primeira linha dizia: "Como vamos dividir os bens?".

Parei de respirar. Depois uma névoa invadiu a sala, turvou minha visão, e nada mais era como antes.

Depois de ler tudo que estava escrito naquele papel, eu sabia a verdade. Nossos pais estavam se divorciando. Saí da sala de jantar, atravessei a cozinha, o corredor, e entrei no quarto de Alli, cuja porta fechei. Entreguei o papel a ela com mãos trêmulas. Ela gritou, e nós duas começamos a chorar. Alli tinha razão. Todo o medo e toda a dúvida que sentia tinham fundamento. Sua intuição era correta. Eu estava errada. Pensei que fosse impossível, já que nossos pais haviam rido juntos naquela manhã sentados à mesa na cozinha. Achei que era impossível, já que éramos nós. Nossa família. A família que conversava sobre tudo. Nosso lema sempre foi "Não existem segredos na família

Flanders". Na verdade, havia um. O maior segredo da família havia sido descoberto, e agora teríamos que lidar com ele.

Não vou compartilhar os detalhes sobre por que meus pais se separaram e como isso afetou a mim e aos meus irmãos. Essas histórias não são só minhas, não posso contá-las. Mas posso dizer o que isso significou para mim. Depois de encontrar aquele pedaço de papel e mostrá-lo a Alli, nós o levamos para nossos pais e tivemos a conversa. Depois dispersamos e tentamos entender como cada um se sentia em relação à notícia, notícia que nunca deveríamos ter descoberto por meio de um pedaço de papel, e eu me sentia arrasada.

Fui de carro até a casa dos meus amigos Travis e Pascal para me distrair brincando com os filhos deles, mas, assim que foram para a cama, me encolhi no sofá deles e comecei a chorar. Fiz perguntas em voz alta, como *Quais são os próximos passos? O que vai acontecer com a casa?* Ela pertencia à família desde a década de 1950, e estava em minha vida desde 1994. Antes de minha mãe e meu pai se conhecerem, nossa vida não tinha nada de estável. Ela e eu moramos em sete casas diferentes nos primeiros sete anos da minha vida. Eu mudava de escola a cada novo ano que começava, e às vezes mudava de escola de novo no meio do ano, se nos mudássemos mais uma vez. Mas depois que Alli nasceu, fomos morar naquela casa e nunca mais nos mudamos. Às vezes trocávamos de quartos ou mudávamos os móveis de lugar, mas nunca saímos de lá. Terminei o fundamental em uma escola só, frequentei o ensino médio em um só colégio e fiz amizades que duraram mais que dez meses. Tínhamos uma política de portas abertas para família e amigos, por isso sempre tinha gente nos visitando. E

8. FEVEREIRO: ABRIR MÃO DO FUTURO

mesmo viajando ou me mudando, eu sempre soube que tinha um lar neste mundo. Não podíamos perdê-lo. Eu não podia perdê-lo.

Comecei a defender em voz alta uma transição gradual para todo mundo ficar bem. Depois me preocupei com meus pais sozinhos na velhice. Não queria que eles se separassem, mas não queria de jeito nenhum que eles ficassem sozinhos. O que aconteceria com os cachorros? Ai, minha nossa, os cachorros. Odiava pensar nas nossas meninas tendo que viver esse momento de incerteza agora que estavam velhinhas. Elas não lidavam bem com mudança, na verdade. Como isso as afetaria?

O choro se transformou em soluços pesados quando pensei em como isso afetaria meus irmãos. Eu havia passado a vida toda cuidando de Ben e Alli, guiando-os e protegendo-os de confusão e sofrimento sempre que podia. Eu sabia que todos nós lidaríamos com essa situação de maneira diferente, e rezava para podermos nos manter neutros tanto quanto fosse possível e não dilacerar ainda mais nossa família tomando partido. Mas dessa vez eu não podia orientá-los. Eles teriam que estabelecer os próprios limites, criar as próprias regras e administrar seus sentimentos. Não podia protegê-los dos efeitos disso. E eles também não podiam me proteger – essa tarefa nunca foi relacionada na descrição de cargo deles.

O restante das lágrimas foi por mim. Eu não havia antecipado tudo isso. Mesmo com os comentários e as preocupações de Alli, não me havia preparado para isso. Divórcio não deveria ser uma opção em nossa família. Eu não estava preparada, simplesmente. Também não estava preparada para lidar com isso agora, em um ano já tão cheio de mudanças e desafios pessoais e no trabalho. No meio de tudo isso, sempre pude contar com minha família ali. Nossa casa. Meus pais. Meus meios-irmãos. Meus únicos irmãos. Os cachorros. Isso era tudo que importava para mim, e tudo se encaixava embaixo de um teto. E se nunca mais estivesse embaixo do mesmo teto? Como era possível isso estar acontecendo?

No caminho de volta para a casa dos meus pais, eu dirigia pela Malahat, um trecho íngreme da Highway 1 que abraça a montanha que separa Victoria do restante de Vancouver Island, quando comecei a ofegar. O suor começou a escorrer da minha nuca, e eu tive uma urgência repentina de parar e arrancar a blusa. Mas não podia. O Malahat tinha só uma faixa de mão dupla, sem acostamento. Meu coração disparou, e minhas mãos ficaram escorregadias no volante. *Só respire, Caitlin. Inspire fundo, expire profundamente. Você está quase chegando. Está quase chegando. Está quase chegando.* Assim que pude sair da estrada, parei, saí do carro e me encolhi deitada no asfalto. Sentir o frio do pavimento entrando em meu corpo ajudou a reduzir o ritmo da respiração. Depois peguei o celular e liguei para Clare em Denver. "Meus pais estão se divorciando", cochichei. "E eu estou tendo um ataque de pânico."

Não era a primeira vez que eu tinha um ataque de pânico, ou que ligava para a Clare durante um ataque de pânico, aliás. Os primeiros dois aconteceram em 2004: um no meu segundo dia de um emprego novo, e outro na manhã anterior ao terceiro dia. Interpretei-os como um sinal de que aquele não era o emprego certo para mim e nunca mais voltei. O terceiro aconteceu em 2013, quando eu ia de trem do centro de St. Louis para o aeroporto Lambert St. Louis. Antes da viagem, eu havia trabalhado muito, às vezes passando até quinze horas por dia sentada na frente do computador. Depois de tirar alguns dias para encontrar amigos em uma conferência sobre *blogs*, estava apavorada com a ideia de voltar àquela rotina. No trem, senti os conhecidos e aterrorizantes sintomas se manifestando. Falta de ar, suor escorrendo da nuca, coração disparado. *Só respire, Caitlin. Inspire fundo, expire profundamente. Você está quase chegando.* Quando

8. FEVEREIRO: ABRIR MÃO DO FUTURO

chegamos ao aeroporto, saltei para a plataforma, larguei as malas e liguei para Clare. Interpretei aquilo como um sinal de que precisava trabalhar menos e estabelecer uma rotina mais saudável.

Não sei por que liguei para Clare naquela primeira vez. Nunca havíamos conversado por telefone só por *e-mail* e mensagem de texto. Mas alguma coisa me dizia que ela era a pessoa de que eu precisava. As duas vezes que liguei para ela, ouvi o mesmo conselho: pôr a cabeça entre os joelhos e respirar. *Inspirar profundamente, expirar profundamente.* Ela repetiu esse mantra até eu recuperar o ritmo normal da respiração, quando comecei a chorar e ela teve que retomar a repetição.

Dessa vez, quando finalmente me acalmei, abri os olhos e notei o ambiente à minha volta. Estava deitada no acostamento estreito de uma travessa, com meu carro diante de mim e uma fileira de casas construídas recentemente à minha esquerda. Dessa vez sabia por que tinha ligado para Clare. Ela não só era minha amiga sóbria e livre de dívidas, como também os pais dela também haviam se divorciado pouco tempo antes. Solidariedade, irmã. Fiquei deitada no escuro, olhando para a lâmpada da rua sobre mim, enquanto Clare me fazia perguntas para as quais eu não tinha respostas e percebia que aquele era só o começo da jornada. Encontrar aquele pedaço de papel foi só a primeira parada no mapa. Esse ataque de pânico era um sinal de que eu não estava pronta para o que ainda viria.

Nos dias seguintes, meus pais tentaram dar a impressão de que tudo ia ficar bem. Sentavam-se juntos à mesa da cozinha de manhã, e nós jantávamos juntos à noite. Não sei quem estava se esforçando mais, nós ou eles, mas cada interação dava a sensação de quatro pessoas tentando dançar juntas em torno do elefante na sala, não de uma família apenas conversando. Falamos sobre a escola de Alli, depois sobre a de Ben, mas *Oh, não, Ben não está aqui e ainda não sabe sobre o divórcio. Não podemos falar sobre Ben. Se falarmos sobre Ben, vamos ter que falar sobre o divórcio e descobrir quando vão contar a ele. Depressa, se afastem do elefante.* E alguém mudava de assunto.

Com o passar do tempo, esses dançarinos começaram a sentir que conquistavam pequenas vitórias. Meus amigos perguntavam como eu estava, e eu dizia: "Bem, temos evitado o assunto com sucesso, acho que é uma vitória". Comer na mesma sala era uma vitória. Falar sobre o que acontecia nos jornais era uma vitória. As verdadeiras notícias aconteciam dentro de nossa casa, mas nunca eram divulgadas, e essa era a maior vitória. Essas vitórias tinham um gosto horrível, é claro. Nunca houve segredos em nossa família. Contávamos tudo uns aos outros e falávamos sobre todos os assuntos. Eu queria fazer perguntas e exigir respostas, descobrir se havia uma chance de isso tudo ser um grande engano. Em vez disso, acordava todas as manhãs, me vestia e me unia a eles na dança em volta do elefante. Era mais fácil fingir que tudo continuaria igual entre nós por mais um tempinho.

Consegui passar só mais alguns dias em Victoria antes de sentir que precisava me afastar de tudo. Detestava deixar Alli dançando sozinha, e prometi que voltaria com tanta frequência quanto pudesse suportar. Mas naquele momento, precisava ficar sozinha. Quando voltei a Port Moody, tentei me distrair mergulhando no trabalho. Levantava cedo todas as manhãs, fazia café e abria a caixa de *e-mail*s imediatamente. Nos *e-mails*, prometia mapear novos projetos, procurar mais redatores *freelancer* e programar com antecedência semanas do *blog*. Mas na hora do almoço, estava dura na cadeira, olhando para o nada além da tela do computador. A névoa que invadiu a casa dos meus pais naquele dia em que encontrei o pedaço de papel me acompanhou até em casa. E eu não conseguia enxergar nada na minha

8. FEVEREIRO: ABRIR MÃO DO FUTURO

frente. Às duas da tarde, normalmente havia levado o *laptop* para o sofá, convencida de que faria mais se estivesse confortável. Às quatro da tarde, desligava a máquina, grata se tivesse feito alguma coisa. E depois jantava e ia para a cama.

A cama deveria ser meu santuário. Depois do rompimento com o Chris tantos anos antes, eu havia comprado tudo de que poderia precisar para fazer da cama meu santuário, um lugar sagrado onde buscaria refúgio depois de mais um dia. E no outono, eu finalmente havia substituído meu colchão de treze anos com o dinheiro da conta de proibição de compras.

Emma e eu descrevíamos camas com lençóis limpos como *marshmallows*, e deitar nelas significava que tínhamos alcançado o status de *marshmallow*. Comecei a mandar essas duas palavras para ela em uma mensagem de texto logo depois do jantar todos os dias. Às sete da noite, a louça estava limpa e eu tinha alcançado o status de *marshmallow*. Às vezes olhava para os livros em cima do criado-mudo e pensava em ler aninhada no meu *marshmallow*, mas sempre tinha a sensação de que era esforço demais. Pegar um livro e segurá-lo na minha frente era trabalho demais. Então os deixava ali mesmo e fazia nada, me encolhia e fazia nada.

No começo, Emma dizia que sentia inveja de quanto tempo eu passava na cama. Eu anunciava esse tempo como se fosse motivo de orgulho, minha maior realização todos os dias. "Cansei de tudo. É hora do *marshmallow*." Mas mesmo com a viagem de balsa e 120 quilômetros de distância entre nós, ela sabia antes de mim que eu procurava refúgio. Comecei a ir para a cama um pouco mais cedo todos os dias. Meu escritório e a sala de estar pareciam abertos demais. Eu não queria espaços abertos. Queria me esconder da vida, da família, da verdade. Não queria que aquilo que fosse real, então ia para a cama, onde podia me encolher e fingir que estava tudo bem.

Logo sete da noite se tornou seis da tarde, e seis se tornou cinco. Emma ficou preocupada com meu comportamento. Com o tempo, passei a levar o jantar para a cama, e só saía do quarto para lavar a louça. Não demorou muito para eu parar até com isso, deixar os pratos empilhados sobre a pilha de livros no criado-mudo. O dia em que não encontrei espaço para colocar minha xícara de café e trabalhar na cama foi aquele em que fiquei furiosa.

Num impulso, comecei a andar entre o quarto e a cozinha, indo e voltando com os pratos e jogando-os na pia. Arranquei a roupa de cama e enchi a máquina de lavar com lençóis e sabão. Lavei o banheiro e limpei cada superfície do apartamento. Minha vida já estava suficientemente bagunçada. Eu não precisava piorar as coisas morando em uma bagunça também.

Quando terminei, voltei ao quarto e olhei para a pilha de livros. Eram os mesmos que eu tinha posto ali meses antes, mudando de vez em quando a ordem em que os leria, sem nunca ler nenhum. De vez em quando olhava para eles, lamentava pelas palavras e pelos autores e sentia vergonha de não ler o suficiente. Eu adorava ler. Tinha crescido com livros praticamente grudados nas mãos. Quando viajava, sempre levava três, pelo menos. Mas não lia mais nada. O criado-mudo havia se tornado um canto invisível em minha casa, um lugar onde você se acostuma com a bagunça, apesar de sentir culpa cada vez que olha para ela. Eu não conseguia suportar mais nenhum sentimento de culpa, por isso os levei de volta para a estante, onde era o lugar deles.

Cada livro tinha um lar dentro do meu lar. As prateleiras eram organizadas por gênero, ficção, biografias, negócios e finanças pessoais, e depois por tamanho. Havia espaços visíveis para encaixar

8. FEVEREIRO: ABRIR MÃO DO FUTURO

cada livro, tornar a coleção mais completa. Mas quando olhei para cada um, percebi que fazia mais de seis meses desde a última faxina, e eu ainda tinha dezenas de livros que nunca havia lido. Na verdade, havia muitas coisas no apartamento que eu tinha guardado mas ainda não havia usado. Eu poderia ter feito uma separação por cômodos para um *post* no *blog*, relacionando para os leitores o que havia no quarto, na cozinha, na sala de estar, no escritório e no banheiro. Mas só conseguia ver duas categorias, na verdade: as coisas que usava e as coisas que queria que minha versão ideal usasse.

As coisas que queria que minha versão ideal usasse eram todas aquelas que eu havia comprado na esperança de um dia usar para tornar minha vida melhor. Eram livros que eu achava que a Cait inteligente deveria ler, roupas que imaginava que a Cait profissional deveria usar, projetos que acreditava que a Cait criativa poderia desenvolver. Romances, vestidos pretos, material para álbuns de recorte e outras coisas. Em um momento da vida, eu havia gastado milhares de dólares no cartão de crédito por aquelas coisas, objetos que comprei com toda a intenção de usar, mas só porque me convenci de que, de algum jeito, eles me ajudariam. Eu não era boa o bastante, mas aquelas coisas me fariam melhor. Queria ler, vestir e fazer tudo para me transformar na pessoa que achava que deveria ser. Ter esses objetos em casa provava que isso era possível. Um dia eu faria tudo, e um dia me tornaria uma pessoa melhor. Até então, um dia nunca havia chegado.

Naquele ponto, as únicas duas perguntas que eu fazia a mim mesma quando me desfazia de coisas era *eu usei isso recentemente?* e *planejo usar isso em breve?* Se as respostas fossem sim, eu conservava o objeto. Se acreditava que aquele tinha um propósito em minha vida, eu guardava. Meus amigos perguntavam como eu tinha conseguido me desfazer de tanta coisa, e a pergunta sempre me deixava confusa. Eu não usava 56% de tudo que um dia tive. Por que seria difícil me desfazer disso? Mas as coisas que permaneciam para minha versão ideal eram diferentes. Agora eu enxergava o que eram, e quando você consegue ver a verdade, não dá mais para deixar de vê-la. Tive que aceitar que nunca seria o tipo de pessoa que lia, vestia e fazia aquelas coisas. Mas isso não significa que foi fácil abrir mão das coisas.

Comecei com os livros e me fiz uma pergunta cuja resposta nunca havia considerado antes: *Para quem está comprando isso: para a pessoa que você é ou para a pessoa que quer ser?* Eu deveria ter feito essa pergunta antes de comprar cada objeto. A resposta, em muitos casos, era que eu havia comprado para a pessoa que era, mas havia uma dezena de livros, pelo menos, que comprei por pensar que minha versão mais inteligente deveria ler. Passei para o quarto e fiz a mesma pergunta sobre minhas roupas. E depois de percorrer cada cômodo, eu havia enchido algumas sacolas pequenas com coisas para doar. Tinha que me desfazer das coisas que queria que minha versão ideal usasse e me aceitar como realmente era.

E quando terminei, tive que abrir mão de uma coisa que era ainda maior que eu: minha família.

Tudo vinha em ondas. Eu mascarava a dor com meu edredom quente, depois lembrava de mais alguma coisa de que tinha que abrir mão. Como a viagem em família ao Havaí que planejamos fazer quando Ben terminasse a faculdade em 2019. Fizemos só duas viagens juntos, a família toda: uma para a Disney, em 2004, e outra para o México em 2011. Agora elas seriam as únicas. Depois eu pensava em situações que sempre imaginara que seriam possíveis. Como ter uma casa aonde Alli, Ben e eu poderíamos levar nossos filhos, onde estaríamos todos juntos. Como seria para nossos filhos a experiência de ter avós separados?

8. FEVEREIRO: ABRIR MÃO DO FUTURO

Teríamos que fazer aniversários, férias e Natais separados? Como seria nas cerimônias de casamento, se alguns de nós se casassem? Nossos pais continuariam conversando?

Sempre imaginei que a separação dos pais seria mais difícil para filhos pequenos, mas descobri que a idade só muda o jeito como o filho é afetado. Se você é pequeno o bastante para não se lembrar dos pais juntos, essa situação é a única que você conhece. Mas quando se é adulto (e praticamente um ajudante dos pais em relação aos irmãos menores) e cresceu em uma casa cheia de amor, o divórcio dos pais pode parecer o próprio divórcio. E tem muita coisa de que abrir mão quando se descobre que aquilo acabou.

Mesmo depois de limpar o apartamento e me desfazer de mais coisas, arrumei a cama e voltei para ela. Lá chorei a perda da família que havia conhecido, as tradições, os rituais e a linguagem secreta que só nós cinco conhecíamos. Era uma dor diferente de todas que eu já havia experimentado. Não havia pontadas ou ardor. Meus ossos não doíam. Não era o sentimento de um rompimento comum. Eu nem a comparava a uma morte na família. Era a morte da unidade toda, e do futuro que eu acreditava que teríamos.

Sempre presumi que meus pais ficariam juntos para sempre. Nada jamais havia me feito pensar diferente. E nada havia me preparado para lidar com a perda que viria com um divórcio. Era uma alteração tectônica na rocha sobre a qual todos estávamos, e agora pisávamos em terreno instável. Eu precisava superar tudo que um dia pensei ser verdade e aceitar nossa nova realidade. Não era fácil, e eu sabia que aquilo era só o começo da jornada. Por isso fiquei na cama por mais um tempo, chorei muito mais e repeti muitas vezes o mantra quando era necessário.

Inspire fundo, expire profundamente.
Inspire fundo, expire profundamente.

9

Março: animação

Meses sóbria: 26
Renda economizada: 34%
Confiança de que posso concluir esse projeto: 70%

Queria poder dizer que foi ali que superei o sofrimento: em fevereiro, quando tudo começou. Queria poder dizer que descobri o único segredo que existia em nossa família, tive um ataque de pânico e chorei um pouco, depois segui em frente e superei tudo isso. Teria sido muito bom dizer que foi o pior mês da minha vida, embrulhar tudo com um laço preto e despachar para sempre. É claro, nunca é tão simples. Gostamos de pensar que cada mês do ano é um capítulo de nossas vidas, mas esse se estendeu e o divórcio o consumiu. A frequência com que desabava e começava a chorar no meio de uma frase diminuiu, mas só porque eu estava paralisada pela dor. Não havia nada a negociar. Eu sabia que meus pais não recuariam da decisão, e não havia nada que eu pudesse mudar nisso. Então, passei da raiva à depressão.

Não uso a palavra *depressão* com muita tranquilidade; jamais usaria. Sim, é o nome para um dos cinco estágios do luto, mas sei como depressão é coisa séria. Quando era criança, vi uma amiga da família lutar contra a depressão clínica durante anos. Também havia casos de transtorno bipolar na família. Eu jamais compararia a tristeza que se sente depois de uma perda a essas formas de depressão. Não é a mesma coisa, não chega nem perto disso. Mas talvez tenha sido por saber como depressão é algo sério que levei quase dois meses para contar a alguém como a dor era profunda e penetrante.

Mal conseguia sair da cama, e não era por sentir que a cama era meu santuário. Não havia nada de bonito ou tranquilo em viver embaixo das cobertas com o mesmo pijama por semanas. Simplesmente não havia lugar melhor para passar metade do dia em posição fetal. Quando amigos mandavam mensagens ou tentavam telefonar para saber de mim, eu ignorava. *Por que contei para tanta gente?* era o que me perguntava. *Não quero mais falar sobre isso. Por favor, parem de perguntar como estou,* eu torcia cada vez que a tela do celular acendia. *Estou péssima e não quero mais falar sobre isso.*

Emma e Clare eram as únicas pessoas que eu aceitava por perto. Emma, porque sabia que podia falar qualquer coisa para ela sem ser julgada. Clare, porque sabia que ela havia enfrentado a mesma coisa antes. A maioria dos dependentes que conheci são sensíveis ao sofrimento, e é por isso que tentamos nos esconder dele. Enquanto eu fosse honesta com Emma e Clare, não estaria me escondendo do sofrimento, só não queria que o restante do mundo soubesse quanto doía.

Quanto mais eu ignorava todas as outras pessoas, mais chegavam mensagens de conforto. Havia as habituais mensagens de "vai ficar

9. MARÇO: ANIMAÇÃO

melhor!". Algumas pessoas mandavam mensagens religiosas e espirituais, versículos da Bíblia sobre empatia e força e palavras sábias sobre superação e encontrar a felicidade no budismo. Um amigo sugeriu que eu tentasse meditar, e eu baixei o aplicativo Calm no celular para ter uma orientação. Só tentei uma vez, e foi tão desconfortável ficar sozinha com meus pensamentos que desisti três minutos depois de começar. Mais dois anos passariam antes que eu tentasse de novo e finalmente começasse a praticar a meditação. Nesse ínterim, a melhor coisa que obtive com o aplicativo foi descobrir que eu podia usá-lo para ouvir o barulho da chuva. Cresci no Noroeste Pacífico, sempre achei a chuva calmante. Para morar aqui, isso é necessário. Com o celular em cima do criado-mudo, deixei o aplicativo aberto e relaxei. Foi a primeira noite de sono de qualidade que tive em semanas. Talvez a chuva fosse minha religião.

 O pensamento mais inquietante que passou por minha cabeça nesse tempo não foi sobre o divórcio. Não foi sobre meus pais ou nossa família no futuro. Foi sobre bebida. Eu não comprava nem pensava em comprar. Mas pensava em beber. Houve muitas noites em que tive que me dissuadir de descer até a loja de bebidas embaixo do meu prédio e comprar uma garrafa de vinho. *Eu moro sozinha. Ninguém nunca vai saber.* Lá estava de novo: a voz, minha voz, tentando me convencer a fazer algo ruim. A racionalização se tornava mais intensa, e eu lembrava que nenhum amigo morava perto e que eu ignorava todos eles ultimamente. *Sério, ninguém saberia.* Se estivesse sóbria há poucos meses, o risco de ceder a esses pensamentos seria muito maior. Mas eu sabia que havia superado o sofrimento sem álcool antes, e estava determinada a fazer isso de novo. Essa foi a primeira vez que pensei em ir a uma reunião do AA.

 Não posso falar nada sobre os Alcoólicos Anônimos, porque não tenho experiência com eles. Meu único conhecimento sobre o que acontecia nas reuniões vinha de histórias contadas por meu pai e outro amigo que abandonou a bebida seis meses antes de mim. Meu pai foi às reuniões somente no primeiro ano de sobriedade, depois decidiu que não havia propósito em continuar. Ele pensou: por que continuar no eterno ciclo de falar sobre viver com o vício quando se pode simplesmente superar e viver? Meu amigo, porém, estava sóbrio por mais de três anos e continuava frequentando as reuniões semanais. Acho que nenhuma decisão tenha sido certa ou errada, desde que tenha funcionado para eles.

    AA nunca pareceu certo para mim. Eu provavelmente teria suportado ir uma vez, pelo menos. Considerando quantas vezes fui chamada de "a sóbria" e me sentido excluída do grupo, é bem provável que precisasse de mais alguns amigos sóbrios. Na verdade, tenho certeza de que precisava de mais amigos sóbrios. Mas alguma coisa no AA nunca me atraiu. Talvez fosse o aspecto religioso. Eu não seguia nenhuma doutrina e, portanto, não me sentia confortável com os princípios orientadores, os doze passos. Achava a ordem em que eram relacionados perfeita, mas eram escritos em uma linguagem estranha para mim. Lembro de ter lido a "Oração da Serenidade" uma vez e me identificado apenas com duas frases: "Viver um dia de cada vez/Desfrutar um momento de cada vez". Também não me sentia confortável com o viés de gênero na linguagem. Estou certa de que poderia ter encontrado reuniões do AA modernas que teriam modificado algumas coisas ou reescrito toda a relação, mas não queria contar com isso. Quem era eu para dizer que uma prática que ajudava pessoas desde 1935 deveria ser alterada para me satisfazer?

    Conversei com Clare sobre minhas dificuldades e perguntei se ela já havia ido a uma dessas reuniões. Ela havia ido a uma, e sua experiência confirmava tudo que eu pensava, que aquilo não era para mim. Ela ainda me incentivou a ir, mas me recusei e decidi lidar sozinha

9. MARÇO: ANIMAÇÃO

com os tais pensamentos. Eu não acreditava em muita coisa, mas o pouco em que tinha fé repousava sobre meus ombros, me incentivava a viver um dia de cada vez e desfrutar um momento por vez.

Havia uma grande diferença entre pensar em beber agora e antes, logo depois de parar. Para mim, isso não era mais um hábito ou rotina. Não estava presa no ciclo de sentir o impulso, beber e sentir vergonha por isso. Não tinha blecautes constantes, e meus olhos não tremiam quando pensava em ter que enfrentar essa situação sem álcool. Sabia que não queria realmente beber ou enfrentar as consequências do fim da sobriedade. Estava só cansada de sofrer. O sofrimento, tanto emocional quanto físico, era exaustivo. Não conseguia sair da cama, porque lidar com a dor exigia toda a minha energia, e eu não tinha mais nenhuma. De vez em quando, beber parecia apagar toda a dor, como gastar dinheiro havia parecido ser o caminho para uma vida maior e melhor. Eu não tinha mais esses dois hábitos, e estava melhor sem eles.

Mas isso não significa que não cedia a outros impulsos.

Muita gente se recompensa comprando coisas. Eu sempre me recompensei com comida. Então, em vez de comprar uma garrafa de vinho, comprava *pizza*. E chocolate. E sorvete. E às vezes comprava *pizza*, chocolate e sorvete. Não havia nada de inconsciente nisso, eu sabia que estava comendo meus sentimentos. Fazia o pedido e entrava nas lojas sabendo que estava comprando coisas que me permitiam comer meus sentimentos. Não fazia isso todas as noites, e não comia tudo de uma vez. Não era como os surtos que eu tinha antes. Não queria ter uma *overdose* de queijo ou entrar em coma por excesso de açúcar.

Só queria um pouco de conforto de vez em quando, e encontrá-lo na comida parecia ser a opção mais saudável.

Nessas noites, normalmente seguia a maratona de comida com uma maratona de Netflix. A pilha de livros em cima do criado-mudo era pesada demais para pegar, mas acessar a Netflix era fácil, muito fácil. Eu estava exausta de tanto sofrimento, cansada de ouvir os pensamentos que passavam por minha cabeça. Assim que chegava em casa com a comida, retomava qualquer coisa que estivesse vendo na última maratona e deixava seguir até eu ir para a cama.

Tem algo digno de nota em estar totalmente consciente e ainda escolher fazer o que você sabe que faz mal para você. Por um lado, eu podia argumentar que era fraca, talvez, ou ainda tinha que me curar da sensação de poder enfrentar essas situações difíceis sem a ajuda de alguma substância. Mas, por outro, essa era a primeira vez que eu tinha consciência do que estava fazendo enquanto estava fazendo. Antes disso, nunca devorei uma *pizza* ou bebi uma garrafa de vinho enquanto pensava: "Estou sofrendo muito agora, e isso vai me dar um alívio temporário". Só comia e apagava de tanto beber. Só quando parei com tudo e tive que sentir cada minuto de desconforto eu percebia por que havia enfiado aquelas coisas garganta abaixo por todos aqueles anos.

Isso era diferente. Eu não estava devorando a comida ou engolindo tudo inteiro. E dessa vez não estava me escondendo. Na verdade, mandava fotos de todas as minhas escolhas alimentares insalubres para Emma sempre que as fazia. Disse a ela que me recusava a sentir culpa, e era verdade. Depois de comer, não sentia culpa ou vergonha. Nunca quis retomar aquele ciclo de ódio por mim mesma. Em vez disso, era quase como se testasse outra teoria. As passagens religiosas, palavras sábias e meditação não estavam ajudando. Eu não iria beber e não havia nada que quisesse comprar. Mas se 80% das minhas

9. MARÇO: ANIMAÇÃO

escolhas alimentares eram boas, não era o suficiente? Eu não poderia me recompensar só um pouquinho?

Reconheço que essa não foi a melhor ideia que já tive. Porém, havia um motivo para eu contar a Emma, e a ninguém mais, e era porque ela era o tipo de amiga que incentivava as pessoas a fazerem boas escolhas. Eu sabia que ela não me pressionaria por um tempinho, mas que também estaria ali quando eu me sentisse pronta para voltar aos trilhos. Ela me deixou ficar triste e ouviu meus desabafos por meses, mas só me deixou comer *pizza*, chocolate e sorvete por duas semanas antes de dizer uma coisa: "Vai se sentir melhor se comer melhor, querida". E eu sabia que ela estava certa. Não só porque era ruim para mim, mas porque eu estava atenta a como meu corpo reagia depois de comer tudo aquilo.

Cada vez que comia muito açúcar refinado ou farinha branca, eu entrava em choque. Sério. Sentia frio, começava a ter arrepios e me encolhia com um cobertor. Depois acordava sem saber como havia perdido uma hora do dia e por que me sentia como se estivesse de ressaca. Aquilo não era um cochilo. Eu não estava recuperando o sono perdido, nem ouvindo meu corpo e descansando um pouco. Meu corpo falava, e ele me dizia que não conseguia processar o que eu punha dentro dele. Havia casos de diabetes tipo 2 na família, e eu conhecia os sinais de alerta. Se não tomasse cuidado, poderia desenvolver a doença, e essa não era uma enfermidade que eu queria passar o resto da vida controlando.

Quando notei esse padrão, comecei a anotar como me sentia depois de ingerir certos alimentos e, aos poucos, fui diminuindo o consumo de todos que me faziam sentir doente. Não era uma dieta. Passei um ano controlando o que comia e contando calorias, o que também havia sido fundamental para eu ter perdido treze quilos em 2012. Aquilo havia sido uma dieta, e eu não faria de novo, nem aquela, nem nenhuma outra dieta, na verdade. Não era uma dieta. Eu não queria perder peso nem mudar nada no meu corpo. Só queria me sentir melhor. Aparentemente, a coisa mais saudável que poderia fazer era estar atenta a como os alimentos me faziam sentir, comer menos do que me fazia sentir doente e mais do que me dava uma energia boa.

O processo de acompanhar o que comia e eliminar o que não me fazia sentir bem era idêntico ao que eu tinha feito quando decidi acabar com a dívida. Acompanhei meus gastos diários, finalmente vi para onde ia meu dinheiro e só então consegui me perguntar como me sentia em relação aos números. Estava confortável gastando todo aquele dinheiro? As coisas em que gastava acrescentavam algum valor à minha vida? Se a resposta fosse sim, eu mantinha o gasto no orçamento. Mas se queria reservar mais dinheiro para quitar minha dívida, cortava aquela despesa e mudava algumas coisas com esse objetivo. O processo que usei para estabelecer a proibição de compras e mudar as regras mais tarde foi semelhante. Decidi que poderia continuar gastando dinheiro em coisas que acrescentavam valor à minha vida, como viajar, mas cortaria todo o resto para aprender a viver com menos e economizar mais. Depois fiz um inventário dos meus bens, assumi o compromisso de comprar só algumas coisas necessárias e economizei muito dinheiro, além de reduzir o desperdício, por causa disso.

Todas essas descobertas poderiam ter sido reduzidas a duas perguntas: se não me sentia bem com isso, por que fazia? E o que queria de verdade agora? Sentir-me bem, ou me sentir melhor, pelo menos.

Embora a fase de buscar conforto na comida tenha durado só duas semanas, o vício recentemente redescoberto de assistir à televisão

9. MARÇO: ANIMAÇÃO

exigiu um tempo de remissão um pouco maior, 31 dias, para ser exata. O que começou como um ruído de fundo que preenchia o vazio das minhas noites logo se transformou em um barulho ininterrupto. Sempre adorei morar sozinha, mas não adorava *estar* sozinha agora, e isso fazia uma grande diferença. Morar sozinha significava ter liberdade para fazer o que quisesse em meu espaço, sem ter que pensar em como isso afetaria outra pessoa. Estar sozinha significava não ter ninguém com quem dividir a vida. Sempre absorvi muita energia de conversas e conexões, por isso ter um parceiro ou alguém dividindo o apartamento poderia ter mudado de maneira drástica como eu enfrentava esse período da minha vida. Porém, como eu não tinha essa pessoa, conectava a Netflix e deixava as vozes de algumas das minhas séries favoritas me fazerem companhia.

Começou à noite. Quando passei a trabalhar de casa, dois anos antes, prometi a mim mesma que não deixaria os dias se encherem de distrações, inclusive televisão. Cumpri essa promessa, e só de vez em quando assistia à tv à noite. Quando a névoa encheu minha cabeça e me acompanhou até em casa, porém, comecei a ligar a televisão ao mesmo tempo em que fechava o *laptop* e parava de trabalhar. Um minuto de silêncio era doloroso demais para enfrentar, e eu mantinha o barulho até a hora de ir para a cama. Com o tempo, passei a não suportar o silêncio também na hora de dormir, e deixava as séries passando no *laptop* em meu quarto a noite toda. Às vezes acordava às duas, três da manhã e, grogue, fechava o *laptop*. O mais frequente, porém, era que a aba da Netflix fosse a primeira que eu encontrava aberta no *laptop* de manhã, então apertava o *play* e deixava as vozes me fazerem companhia enquanto preparava o café e começava o dia.

Não havia nada de intencional nisso. Era completamente inconsciente, um jeito de evitar o desconforto que eu não queria enfrentar. Nem prestava atenção às séries a que assistia. Eu nem as estava assistindo. As vozes dos personagens só me faziam companhia. Mesmo assim consegui ver sete temporadas de uma série e nove de outra. Mais de 250 horas de televisão, 10,4 dias, ou 2,9% do meu ano. Eu soube que as coisas tinham que mudar quando comecei a deixar as séries no ar o tempo todo. Enfrentava problemas para me concentrar durante o dia, perdi a motivação para trabalhar no *blog* e para os *freelancer* à tarde, e tinha dificuldades para dormir à noite. O silêncio era um sofrimento, mas o barulho precisava desaparecer.

Decidi fazer o que fazia com frequência nessas situações: desafiar-me a ficar sem alguma coisa por um longo período. Nesse caso, um mês, ou 31 dias. Não foi surpreendente experimentar muitas das mesmas reações físicas que tive com a proibição de compras e do café para viagem quando proibi a televisão. No primeiro dia, senti a costumeira urgência de assistir à televisão quando sentei para jantar e quando fui para a cama à noite. O segundo e o terceiro dia foram iguais. Eu havia incorporado esses hábitos à minha rotina, e agora precisava substituí-los por outra coisa. Mudei as regras para poder assistir a pequenas palestras sobre o assunto. Também comecei a ouvir mais *podcasts* e audiolivros, algo que eu adiava havia muito tempo por ter me convencido de que "não tinha tempo para isso". Eu tinha tempo, só havia escolhido usá-lo com outras coisas. Ainda não entendo por que somos sempre tão rápidos em trocar as coisas que realmente gostamos de fazer por outras que só exigem um pouco menos de esforço. Só quando comecei a me perguntar o que queria agora para me sentir melhor, parei de inventar desculpas e dediquei mais tempo à leitura.

Durante o mês, li cinco livros e ouvi incontáveis episódios de vários *podcasts*. Também escrevi meia dúzia de *posts* para o *blog* e tive o mesmo número de reuniões com um amigo que me ajudaria com algumas ideias para o *blog*. Para me adequar às novas regras da

9. MARÇO: ANIMAÇÃO

proibição de compras, comecei a pesquisar o movimento *zero-waste* (desperdício zero) e ter ideias de como poderia reduzir lentamente o meu. Passava um tempo ao ar livre, fazendo caminhas sozinha e trilhas com amigos. Tive duas sessões de mentoria com mulheres que considerava referências, e conversei com mais amigos por telefone ou chamada de vídeo. E depois de ter notícias de meu amigo David, com quem havia passado um tempo em Nova York, testei minha capacidade de aguentar noventa minutos de paz e sossego "flutuando" em um tanque de privação sensorial. Era bom. Eu tinha saído da cama e estava vivendo minha vida, e a sensação era boa.

Isso não quer dizer que a proibição foi um sucesso completo. Devo ter visto umas dez horas de televisão naquele mês, e mudei as regras de novo para poder assistir a dois documentários. Isso também não resolveu todos os meus problemas de concentração e sono. Mas eu não estava mais consumindo televisão de maneira inconsciente só para evitar o silêncio desconfortável. Era intencional. Sabia exatamente o que queria ver e dedicava um tempo a isso. Antes mesmo de o mês chegar ao fim, eu sabia que era assim que queria continuar no futuro. Também sabia que tinha que redefinir meus limites, de forma a assistir a essas coisas só depois do trabalho e antes de ir dormir. Eu poderia conviver com o silêncio. Não poderia conviver com o desperdício de horas, dias e semanas da minha vida com coisas que não tinham importância.

Quando me tornei mais consciente em relação ao que colocava no meu corpo e na minha cabeça, comecei a notar que me tornava mais consciente em relação aos gastos, em especial com coisas que tinha permissão para comprar. Quando escrevi a lista de compras aprovadas, me perguntei se isso não tornaria as coisas muito fáceis. Se ter uma lista de coisas que poderia comprar durante o ano em que não poderia comprar coisas não era uma via de fuga. Também questionava se poder comprar algumas coisas não me induziria a compras outras que não estavam na lista. Nunca imaginei que o extremo oposto poderia ser verdade e que a lista me forçaria a tomar decisões mais sábias com relação aos gastos de maneira geral.

Eu só podia comprar um moletom, por exemplo, então, tinha que ser o melhor. Não a melhor marca ou o mais caro, nem o de melhor qualidade. Tinha que ser o melhor para mim. Tinha que ser do tamanho certo e confortável, e ser alguma coisa que eu poderia me imaginar usando quase todos os dias, porque era isso que acontecia com todas as peças do meu novo e reduzido guarda-roupa, elas eram usadas quase todos os dias. Experimentei moletons que tinham meu estilo, mas cujo caimento era horrível. Experimentei outros que pareciam ser do meu tamanho, mas ficaram justos demais no quadril e largos no peito (um problema comum para quem é bem cheia de curvas, mas tem seios pequenos). Experimentei moletons verdes, moletons azuis, moletons pretos e moletons cinza. Todas as cores que eu costumava usar, mas nada era bom o bastante. No fim, um moletom marrom de zíper finalmente atendeu a todos os requisitos. Foi o primeiro que consegui me ver usando com frequência, o primeiro em que consegui pensar em gastar dinheiro, e levei nove meses para encontrá-lo. A decisão não teve nada de impulsiva.

Enfrentei o mesmo processo quando estava escolhendo a roupa que usaria em vários casamentos, a calça que usaria na academia e o par de botas que usaria quando fizesse mais frio. Saber que só poderia comprar um de cada item tornava as decisões muito mais difíceis, e por isso muito mais significativas. Pensei nos quatro sacos pretos de lixo cheios de roupas de que tinha me desfeito poucos meses antes,

9. MARÇO: ANIMAÇÃO

e lembrei como me sentia desconfortável com a maioria daquelas peças. Não queria gastar meu dinheiro em nada que não cobrisse o suficiente, ou destacasse as curvas erradas, ou não combinasse comigo. Queria me sentir bem nas roupas que usava e em relação à decisão de gastar dinheiro nelas.

Descobri que a lista de compras permitidas era quase como minha apólice de seguro naquele experimento. Garantia algumas compras e me dava permissão para substituir coisas das quais eu precisasse, e houve duas coisas que acabei tendo que substituir na primavera. O celular que se desligava sozinho constantemente se desligou de uma vez por todas e nunca mais ligou. Eu não poderia ficar sem telefone, por isso tive que comprar outro. Não comprei o modelo mais novo ou o mais caro. Minha decisão de comprar não foi resultado do lançamento de um produto, de propaganda ou de promoção. Comprei o que era necessário e o que eu podia pagar. Depois, a única calça *jeans* que eu tinha rasgou na parte interna da coxa. Pus em ação minhas novas habilidades de costureira e tentei consertar a calça, mas depois de apenas sete dias descobri que não é possível consertar os buracos de uma calça *jeans* que esgarça no meio das pernas, não de um jeito que fique bom, pelo menos. Depois de rasgar os dois remendos que fiz, saí e comprei um *jeans* novo.

Percebi que nunca havia comprado desse jeito antes. Nunca havia realmente sentido necessidade de alguma coisa, porque sempre comprei as coisas para suprir futuras necessidades que pudessem surgir. Como usar cupons para comprar duas embalagens de gel de banho, embora já tivesse outra em casa, porque um dia iria precisar de mais. Ou comprar uma camiseta de que gostava em quatro cores, caso nunca mais conseguisse encontrar outra que caísse bem em mim. Eu me convencia de que essas coisas nunca mais entrariam na liquidação, e eu tinha que comprar enquanto estavam baratas. Propagandas e campanhas de *marketing* tinham me condicionado a acreditar que era tudo agora ou nunca. Nunca me ocorreu esperar até realmente precisar de alguma coisa. A verdade, eu estava aprendendo, é que não podemos realmente descobrir de que precisamos até termos vivido sem essas coisas.

10

Abril:
Planejar a saída

Meses sóbria: 27
Renda economizada: 38%
Total de objetos eliminados: 65%

Em meio a tudo que estava acontecendo, eu pressentia que tinha que estar mais preparada para mais mudanças. Era a mesma intuição que me avisou que eu estava perto de estourar o limite do cartão em 2011, e o mesmo pressentimento que me disse que eu precisava parar de beber meses antes de tomar o último gole. Dessa vez, ele me avisava para juntar dinheiro e reforçar meu fundo de emergência. O futuro era incerto e eu iria precisar dele.

Em princípio, não entendi bem o que deduzir disso. Desde que quitei a dívida em 2013, sempre tinha algum dinheiro à mão. Havia um saldo de US$ 500 a US$ 1.000 na minha conta bancária o tempo todo, e mais US$ 200 a US$ 3.000 em poupança. Todo o resto era transferido diretamente para a conta da aposentadoria. Eu me sentia bem com essa estratégia e confortável com minha situação financeira, de maneira geral. Mas não iria discutir com minha intuição. Sabia que o futuro era incerto naquele momento. Não sabia por que iria precisar de dinheiro extra, mas não iria discutir com minha intuição.

Tive pelo menos uma dezena de conversas com amigos sobre isso, perguntei a eles se já haviam sentido a mesma coisa e o que havia significado para eles. Os poucos que tinham experimentado essa sensação confirmaram que o pressentimento da necessidade de guardar mais dinheiro havia surgido em um momento de crise. Divórcio, morte na família, perda de emprego. Situações que haviam interrompido o caminho que eles percorriam e os obrigado a trilhar um novo. É claro que o divórcio de meus pais havia interrompido o caminho que minha família trilhava, mas isso não afetaria minhas finanças. Todo o resto era incerto, mas disso eu tinha certeza.

A única outra crise em que eu podia me ver entrando era no trabalho. Desde a festa de Natal, estava mais desconectada que nunca da empresa para a qual trabalhava. Sabia qual era meu papel e fazia meu trabalho. Mas com o repentino crescimento da companhia, nossas descrições de cargo se solidificaram, e eu estava limitada a fazer coisas de que não gostava, coisas que não se alinhavam mais aos meus valores e minha moral. Eu participava de reuniões, mas, se minhas ideias não batiam com as das campanhas de *marketing* e otimização para motores de busca (SEO, sigla para *search engine optimization*), eram rapidamente descartadas. Minha opinião não tinha mais importância, mas deveria ter. A opinião de todo mundo deveria ser importante. Essa era uma das coisas que eu mais amava quando o núcleo dos seis trabalhava junto naquela casa. Todos nós trocávamos de funções e nosso trabalho importava.

10. ABRIL: PLANEJAR A SAÍDA

Para piorar, eu estava sofrendo de esgotamento ocupacional. O trabalho remoto durante dois anos podia parecer um sonho visto de fora, mas implicava algumas verdades difíceis e não ditas. A primeira era que havia demorado quase esses dois anos inteiros para criar qualquer tipo de rotina saudável. Depois do ataque de pânico em 2013, eu sabia que tinha que começar a trabalhar menos e cuidar melhor de mim, mas esse era um esforço constante. Estava indo bem em relação ao começo do expediente, aos intervalos para café e almoço, mas ainda trabalhava demais.

Outro problema comum que pouca gente discute é como ter a oportunidade de trabalhar remotamente acarreta certo tipo de culpa. Como não há o contato pessoal, sente-se a necessidade de estar *online* e disponível o tempo todo para provar que está, de fato, trabalhando. Ter a responsabilidade adicional de ocupar uma posição de gerenciamento só tornou isso pior, e significava que eu ficava *online* e disponível de dez a doze horas por dia.

Para ser franca, esse foi o maior problema que amigos e eu enfrentamos quando trabalhamos para *startups* em geral. Seja o trabalho remoto ou no escritório, fica subentendido que você deve ser tão comprometido com a empresa quanto o CEO, o que significa trabalhar muitas horas e abrir mão de partes de sua vida para fazer a empresa dar certo. Algumas companhias compensam generosamente seus funcionários por esse nível de comprometimento, mas não são muitas. Na verdade, conheço um punhado de empresas que tiram proveito das pessoas que querem todos os outros "benefícios" de trabalhar para *startups* – a comida e o álcool, a sala de jogos, os estúdios de ioga, os passes para academia e o trânsito livre – e pagam salários menores, às vezes menos que o necessário para viver. As pessoas aceitam e investem tempo e energia nisso, porque acham que vale a pena para poderem dizer que trabalharam para determinada empresa ou adquiriram certo tipo de experiência.

A *startup* para a qual trabalhei me compensava de forma justa, mas eu ainda estava sofrendo de esgotamento. Não queria admitir, mas estava exausta. Estava desanimada com o trabalho que fazia, decepcionada com a comunicação com os membros da equipe e frustrada com a falta de interesse quando manifestava essas insatisfações. E estava cansada de trocar de cinquenta a sessenta horas semanais por tudo isso.

Nem percebi o quanto estava infeliz até uma tarde ensolarada em abril, quando me peguei mostrando o dedo do meio para a tela do computador enquanto falava palavrões e chorava. Eu fazia aquilo havia semanas: mostrava o dedo do meio para o computador e xingava. O choro era novidade. O divórcio havia me transformado em uma chorona, e esse poderia ser um dos motivos. Mas eu também sabia que tinha chegado ao limite, e ficar estava fazendo mais mal do que bem. Minha felicidade por fim superou a lealdade à minha chefe e o desejo de receber pagamentos regulares. Eu tinha que me demitir do emprego.

Até aquele ponto, não havia pensado muito em qual seria meu passo profissional seguinte. Três anos antes, eu nunca havia imaginado que o caminho me levaria ao lugar onde estava agora. Sempre adorei escrever, mas terminei o ensino médio pensando que faria algo mais prático, alguma coisa estável que me permitisse ter um rendimento decente. *Vou ser contadora*, pensava. Tinha concluído os dois cursos de contabilidade no ensino médio com nota máxima, o que me fazia imaginar que essa poderia ser uma profissão para mim. Um semestre no curso de administração na faculdade local me mostrou que não, não era uma profissão para mim. A única matéria de que eu gostava

10. ABRIL: PLANEJAR A SAÍDA

era *marketing*, então abandonei o curso de administração e fui fazer comunicações.

Enquanto estudava comunicações, consegui um estágio no governo da província. Durante três meses, trabalhei como estagiária de comunicações. Meu trabalho era escrever alertas de mídia, *releases* de imprensa e discursos para ministros do gabinete. Havia coisas que eu adorava no trabalho, mais especificamente, passar os dias pesquisando e escrevendo. Alguém me pagava para escrever! E tinha algo digno de nota em saber que pessoas em posições de poder liam as palavras que eu escrevia para elas. Mas receber para escrever não era suficiente para me fazer esquecer a lista de coisas de que não gostava no emprego, como os expedientes longos (que começavam às seis da manhã), sair tarde (às seis da tarde) e os assuntos (chatos). Ainda assim, quando me formei, deduzi que aquele era o emprego que tentaria garantir e a escada profissional que subiria. Seria agente de comunicação júnior com vinte e poucos anos, agente de comunicação com trinta e poucos, gerente de comunicação com quarenta e poucos e diretora de comunicações antes de me aposentar. Para alguém que havia crescido em Victoria, que era uma cidade governamental, ingressar tão cedo era como ganhar na loteria profissional. Eu trabalharia durante 35 anos e me aposentaria com uma pensão, como meus pais haviam feito. Esse era o plano.

É claro, as coisas nem sempre são conforme o planejado, o que aprendi que, às vezes, pode ser bom. Se as coisas tivessem sido como planejei, eu poderia não ter passado os primeiros cinco anos da minha carreira trabalhando com edição didática. Não teria trabalhado com alguns dos mais talentosos professores que já conheci, nem aprendido os detalhes do *design* educativo. E depois não teria tido os degraus da minha escada profissional arrancados durante dois anos de congelamento das contratações no governo, o que me fez sentir estagnada e finalmente pensar em desistir do setor público. Se as coisas tivessem acontecido de acordo com o planejado, talvez eu não tivesse começado meu *blog*. Talvez não tivesse me conectado com uma leitora que acabou me oferecendo um emprego em tempo integral como editora-chefe de seu *site*. E poderia nunca ter tido a oportunidade de aprender com ela, e de ser incentivada por ela a continuar agarrando todas as oportunidades que meu *blog* criou.

Minha chefe correu um grande risco ao me contratar, a "loira do orçamento apertado" que ela nunca havia visto pessoalmente. Eu era grata por tudo que ela havia feito por mim, mas também me sentia em dívida por ela ter acreditado em mim. Por isso fiquei no emprego por tanto tempo, porque minha chefe havia acreditado em mim, e eu me sentia em dívida com ela. Como se tivesse gastado um bom dinheiro comigo em dado momento, e eu tivesse que cumprir meu objetivo.

Não planejei o que faria em seguida, porque nunca tinha pensado em sair de lá. Estava feliz, até não estar mais. A intenção era ficar e ajudar a empresa a continuar crescendo, até não poder mais. Se queria fazer mais, teria que ser em outro lugar, mas eu não sabia onde ou o que queria fazer. Só quando minha amiga Kayla, em Denver, me contou como estava infeliz no emprego e que havia decidido se demitir no dia 1º de julho, percebi que precisava fazer a mesma coisa. Precisava de uma data definitiva. Tinha que conseguir ver uma luz no fim desse túnel e saber que eu sairia dele.

1º de julho parecia ser cedo demais. Havia projetos que eu realmente queria acompanhar até o fim e uma viagem a Toronto já marcada para maio. Minha intuição dizia que 1º de julho também era cedo demais porque eu precisava de mais tempo para economizar dinheiro e pensar em um plano. Eu não sabia o que faria a seguir, mas sabia que não poderia continuar naquele emprego o ano todo. Nenhum dinheiro valia as lágrimas que eu estava derramando todas as semanas. Se isso significava que eu teria que me demitir sem ter outro emprego, eu me demitiria.

Depois de fazer uma análise de alguns números, decidi que seria no dia 1º de setembro. Cinco meses seriam tempo suficiente para encontrar um novo emprego e também para aumentar minhas economias e garantir seis meses de despesas no banco, se fosse necessário. Eu me demitiria em agosto e estaria fora da empresa no dia 1º de setembro. Esse era o plano.

Porém, também decidi estabelecer uma meta elástica para mim. Meta elástica era algo que eu tinha aprendido lendo *blog*s de finanças pessoais. As pessoas as estabeleciam para se desafiarem a conquistar uma coisa ainda mais depressa do que acreditavam ser possível alargando seus limites, digamos assim. Eu tive metas elásticas para pagar minha dívida antes do previsto. O plano original era quitar o valor em três anos, depois dois anos e meio, e acabei pagando tudo em dois anos. Também estabeleci metas elásticas quando estava emagrecendo, e de novo quando treinei para minha primeira meia maratona. Agora estabeleceria outra meta elástica na esperança de que ela me incentivasse a fazer o que fosse necessário para sair dessa situação. 1º de julho era cedo demais, mas escrevi a data em um pedaço de papel e o prendi ao meu computador para poder olhar para ele todos os dias. 1º de setembro seria uma boa data final, mas 1º de julho seria ainda melhor.

A outra verdade que se revelou para mim enquanto tomava essa decisão foi que eu não precisava de tanto dinheiro quanto antes. Antes da proibição de compras, o máximo que eu economizava era 10% da minha renda mensal, o que significava que gastava os outros 90%.

Um dos meus objetivos com a proibição era aprender a viver com menos dinheiro, economizar mais, e era isso que eu estava fazendo. Na maioria dos meses, eu economizava entre 20% e 30% da minha renda. Em janeiro e fevereiro, economizei 56% e 53% respectivamente, o que significava que só precisava de 44% a 47% do meu rendimento para cobrir minhas despesas ordinárias. Eu tinha comprovado minha teoria: podia, na verdade, viver com muito menos dinheiro do que costumava gastar, economizar e viajar.

    Queria poder dizer que isso não foi a grande revelação que foi. Com esses novos números em mãos, eu literalmente fantasiei com berrar a descoberta do alto dos telhados das lojas e dos *shoppings*. *Se você está se perguntando por que não consegue guardar dinheiro, pare de comprar coisas de que não precisa! E acredite em mim, você provavelmente não precisa de nada que tem aqui!* Isso deveria ser óbvio. Eu escrevia sobre dinheiro havia quase quatro anos àquela altura, e havia quitado uma dívida de quase US$ 30 mil e começado a economizar para a aposentadoria. Deveria saber que não precisava de muito dinheiro para atingir meus objetivos financeiros. Porém, eu sempre havia estado presa no ciclo do consumismo. Achava que precisava ganhar mais dinheiro todos os anos para poder ter mais do que queria. Esse ciclo significava que eu gastava constantemente o dinheiro extra que ganhava, em vez de guardá-lo, e ainda queria mais além disso. Mas a proibição de compras comprovou outra teoria; quando você quer menos, consome menos e precisa de menos dinheiro.

    Perguntei a Kayla o que ela faria depois de se demitir do emprego, e ela disse que voltaria a escrever como *freelancer* em tempo integral. Havia feito isso antes e enfrentado algumas dificuldades, mas sentia que tinha aprendido mais nos anos seguintes e queria tentar de novo. Além de me orgulhar dela, invejei sua coragem. Pedir

10. ABRIL: PLANEJAR A SAÍDA

demissão para tentar ser autônoma era destemido e heroico. Ela sabia exatamente o que queria e iria atrás disso.

Quando Kayla perguntou o que eu queria fazer a seguir, admiti que não sabia. Tinha começado a olhar anúncios de empregos e ainda não havia encontrado nada que parecesse certo. Os salários eram bons, mas as empresas não me interessavam e as descrições de cargo eram menos que empolgantes. Ela me interrompeu no meio da frase: "Mas o que você realmente *quer* fazer?".

Essa era uma pergunta que eu tinha feito a mim mesma? Todo emprego que tive foi pela experiência ou pelo salário, e nunca me senti feliz em nenhum deles. Dizia coisas como "Está bom, por enquanto", enquanto contava as horas até poder encerrar o dia. E sempre me senti presa à mesa, porque precisava de um salário fixo para pagar as contas e saldar a dívida. Comprava coisas por pensar que elas ajudariam a me tornar uma versão melhor de mim mesma, e aceitava empregos com salários mais altos porque precisava pagar por tudo isso. Nunca parei para me perguntar o que realmente queria, provavelmente porque nunca estive em uma posição que me permitisse esse questionamento.

Uma das melhores coisas sobre fazer um orçamento e manter um registro de para onde vai seu dinheiro é que isso fornece as ferramentas para se mapear um plano para as coisas maiores, como se demitir do emprego. Eu conseguia olhar para a frente e calcular que levaria cinco meses para economizar o suficiente para me sentir confortável com a demissão. Mas quando olhava para trás, para todos os orçamentos dos primeiros nove meses da proibição de compras, um número se destacava entre todos os outros: eu gastava quase exatamente a mesma quantia em despesas essenciais todos os meses, e era menos do que jamais tinha gastado antes. O motivo para a flutuação das porcentagens era a quantidade de viagens que fazia, o que era um luxo e poderia ser cortado do meu orçamento se eu não tivesse dinheiro para isso. Todo o resto cabia em um número novo e muito menor, e esse número também era a quantia exata que eu já ganhava como escritora *freelancer* todos os meses.

Quando Kayla me contou que seria escritora *freelancer* em tempo integral, não pensei que um dia eu poderia fazer a mesma coisa. Trabalhar para mim mesma nunca havia sido parte do plano. Eu conhecia uma longa relação de blogueiros que haviam lançado seu *site* na esperança de um dia ganhar dinheiro suficiente para se demitir do emprego e trabalhar naquilo em tempo integral. Isso nunca havia sido parte do meu plano. Comecei o *blog* para documentar a jornada de quitação da dívida. Era uma ferramenta de contabilidade, e um jeito de me relacionar com pessoas que lidavam com situações semelhantes. Ao longo do caminho, estabeleci algumas conexões e consegui alguns trabalhos como *freelancer*, mas sempre foi uma atividade secundária. Trabalhar como autônoma nunca tinha sido parte do plano, mas agora era uma possibilidade.

A proibição de compras me mostrou que, como *freelancer*, eu já ganhava a quantia exata de que precisava para cobrir minhas despesas ordinárias. Também mostrou o valor exato que eu precisaria ganhar se quisesse economizar (inclusive reservando dinheiro para os impostos) e ainda viajar. Eu não estava confortável com a ideia de ganhar menos, mas a proibição provava que poderia arcar com essa redução. Se você quer mais coisas, precisa ganhar mais dinheiro. Se quer menos, precisa de menos, e se torna capaz de calcular quanto precisa ganhar de fato. Eu poderia ganhar menos que meu salário atual, e estava disposta a correr esse risco para criar um trabalho que quisesse de verdade.

Então, esse se tornou o novo plano: eu encontraria mais alguns clientes, e depois me demitiria do emprego para me concentrar no

10. ABRIL: PLANEJAR A SAÍDA

blog e em escrever como *freelancer*. Era um risco calculado, mas um risco que eu sabia que valia a pena correr.

Daquele dia em diante, comecei a ler os últimos livros e *posts* de *blog* sobre trabalhar como autônomo, e ouvi alguns *podcasts* sobre o mesmo assunto. Dando seguimento ao que tinha aprendido com a proibição de compras, estava consumindo mídia (inclusive *podcasts*) só depois do trabalho e antes das nove da noite, de forma a não atrapalhar a rotina ou meu sono, e tentava não exagerar. Porém, diferentemente das semanas e meses de vida que perdi assistindo a temporadas de séries e *reality shows*, eu extraía alguma coisa desse conteúdo, e precisava de todos os conselhos.

Quando ouvia um podcast em especial, me pegava fazendo anotações mentais sobre coisas que deveria fazer para progredir na minha empreitada. Depois dava *pause*, procurava um pedaço de papel e anotava tudo. Em poucas semanas, meu apartamento estava cheio de pedaços de papel, livros da biblioteca e avisos de data de devolução. Eu também tinha arrancado pedaços das folhas de um velho caderno de desenho, pregado esses pedaços de papel à parede e criado uma linha do tempo improvisada do que queria fazer antes de me demitir. Meu apartamento não estava tão arrumado quanto nas fotos que eu havia postado no *blog* em outubro, mas eu não me incomodava. Estava inspirada. E não me sentia tão motivada havia meses.

Para sentir que o plano poderia se tornar uma realidade, decidi que todos os dias contaria a uma pessoa que iria me demitir. Meu raciocínio: quanto mais gente soubesse, mais clientes poderia conquistar, e mais gente teria para dar satisfação. Não queria recuar.

No começo foi empolgante compartilhar a notícia e falar sobre o que o futuro poderia trazer. Além de minha chefe, porém, só havia uma pessoa para quem eu temia contar: meu pai. O fiel servidor público que tinha trabalhado para o governo federal desde os dezessete anos de idade. Depois de todas as conversas que tivemos sobre dinheiro e trabalho, eu temia que ele ficasse preocupado. Também receava que ele me dissesse que a ideia era idiota ou que o plano era falho de algum jeito. Valorizava a opinião dele e queria seu apoio. Levei duas semanas e quatorze conversas de reafirmação de decisão com outras pessoas para ter a coragem de contar a ele os detalhes do meu plano. Antes que eu conseguisse chegar nos números, ele respondeu com poucas palavras: "Você vai ser um sucesso!". Eu já deveria saber que meu pai sempre confiava nos meus instintos.

Com o fim à vista, parei de mostrar o dedo do meio para a tela do computador enquanto xingava em voz alta e chorava. Não podia controlar o divórcio de meus pais e o futuro da família, mas podia controlar essa situação, e era bom ter, finalmente, alguma coisa para esperar.

11

Maio: encontrar-me em lugares incomuns

Meses sóbria: 28
Renda economizada: 24%
Confiança de que posso concluir esse projeto: 100%

Quando completei dez meses de proibição de compras, fiquei surpresa ao descobrir que não conseguia lembrar a última vez que havia pensado em comprar alguma coisa de que não precisava. Nenhum dos meus gatilhos habituais provocava nenhum tipo de reação. Artigos com listas dos livros que deveriam ser lidos naquela temporada eram fáceis de ignorar agora, quando eu sabia que havia tantos na estante de casa que eu ainda não tinha lido. Anúncios das minhas velas favoritas em *sites* também eram fáceis de ignorar, embora as velas tivessem acabado e eu adorasse acendê-las enquanto escrevia. Desde que tinha mudado as regras em janeiro para poder fazer minhas velas, não havia comprado o material para isso. Mas tendo a opção de fazê-las ou viver sem elas, escolhi viver sem elas por um tempo. Estava satisfeita com o que tinha, e confiante de que poderia cruzar a linha de chegada com esse sentimento.

A viagem de 24 dias marcada para maio estava ajudando. Comparado a todos os meses anteriores, isso era extremo, tanto em relação ao tempo que eu passaria fora de casa quanto ao número de viagens que comporiam esses 24 dias. Mas cada viagem servia a um propósito, até aquela que eu não queria fazer.

O primeiro voo me levou a Toronto para trabalhar. Depois de eu ter repetido o pedido inúmeras vezes, minha chefe enfim me permitiu contratar alguém internamente para ajudar com nossas crescentes necessidades de conteúdo, em vez de continuar contratando todo esse serviço de *freelancer*rs. Nas semanas anteriores à minha chegada, eu havia lido todos os currículos, convidado um pequeno grupo de candidatos a concluir tarefas de redação e edição e marcado entrevistas para a semana em que eu estaria no escritório. Depois de todas essas etapas, fizemos uma oferta a um candidato, que a aceitou, e eu não poderia ter me sentido mais aliviada. Quando retornasse de todas as viagens, teria um par extra de mãos e olhos ao meu lado, e precisava disso mais que nunca.

Durante os quase três anos que passei com a companhia, não havia tirado férias de verdade nem uma vez. Tirava dois ou três dias aqui e ali para ir a conferências, mas era só isso. Trabalhei até durante a maior parte da semana que passei em Nova York em fevereiro, porque não havia ninguém para quem pudesse passar minhas tarefas. Ser a primeira editora-chefe da equipe havia sido um presente incrível nos primeiros dias, quando eu conseguia utilizar meus pontos fortes

11. MAIO: ENCONTRAR-ME EM LUGARES INCOMUNS

e dar forma ao cargo. Mas ser a única pessoa que escrevia, editava de acordo com nosso guia de estilo (que eu também havia criado), usava nosso *blog* como plataforma de apoio e outras coisas não só me transformava em uma peça indispensável e central na organização, como também significava que eu não podia ter um período maior de folga. E eu precisava dar um tempo. Sim, no fundo, eu sabia que sairia em breve. Mas, ainda assim, precisava dar um tempo agora.

De Toronto, voltei para B.C. e passei uma semana em casa, em Victoria. Ben estava em férias de verão da universidade, e ainda não havíamos conversado pessoalmente sobre o divórcio. Ele reconheceu que estava tão surpreso quanto Alli e eu: "Pensei que tivéssemos crescido em um lar no qual os pais mostravam como era um casamento feliz". Nós três fizemos uma trilha no meio das árvores em uma montanha perto de casa e conversamos muito sobre o que acreditávamos que viria a seguir. Ben nunca havia sido tão aberto com relação aos próprios sentimentos. Ele era quieto, como a maioria dos engenheiros, mas o tempo longe de casa evidentemente o havia ajudado a crescer e amadurecer. Cada palavra que saía de sua boca me enchia de orgulho, principalmente quando perguntei se ele estava abalado.

"Estou bem", ele respondeu. "Quero dizer, o que está feito, está feito."

O que estava feito, estava feito. Não havia como voltar atrás. Não havia como negar os fatos, e nem todas as súplicas poderiam mudá-los. Ben não estava revoltado e não estava triste. Aparentemente, tinha pulado a maior parte dos estágios do luto que eu tinha enfrentado e aceitado a notícia como ela era: a verdade. Nossa nova realidade. A única coisa que podíamos fazer agora era seguir em frente. Todos nós sabíamos disso, mas Ben foi o primeiro a falar.

Eu havia passado meses preocupada com Alli e Ben, estressada com o futuro, me perguntando como poderia ajudar a nos guiar por esse novo caminho juntos. Isso fazia parte da minha descrição de cargo de irmã mais velha. Eu tinha ajudado a cuidar "das crianças" desde que elas nasceram. Mas a resposta de Ben provou que ele não precisava de mim tanto quanto eu temia que precisaria. Ele estava bem. Todos nós ficaríamos bem. Nunca imaginei que ele seria nosso guia para sairmos desse círculo de negatividade e que nos apontaria a direção certa, mas foi exatamente isso que ele fez. Ben me guiou para fora da tristeza, me ajudou a sentir o chão firme sob os pés outra vez e mostrou a direção de nossa nova família.

Passei o resto da semana em Victoria trabalhando o tempo todo. No dia 20 de maio, eu voltava a Nova York com Sarah, outra amiga que havia conhecido por intermédio da comunidade de blogueiros de finanças pessoais anos antes. De lá começaríamos uma viagem de carro de dez dias, e eu queria passar esses dez dias longe do trabalho. Para isso, tive que compensar nos dias anteriores e concluir todo o trabalho do período em apenas cinco dias. De algum jeito, eu consegui. Quando embarcamos no primeiro voo, meus olhos ainda estavam vermelhos e cansados, mas eu havia conseguido. Era hora de férias de verdade.

Sarah e eu planejávamos essa viagem desde antes de eu descobrir sobre o divórcio de meus pais. Sabíamos que não seria barata, principalmente porque o dólar canadense estava baixo e a taxa de câmbio seria cara, por isso estávamos sempre procurando maneiras de economizar. Uma tarifa de acompanhante nos ajudou a comprar as duas passagens de volta pelo preço de uma, e vasculhamos *sites* que vendiam estadias em hotéis com pouca procura por preços mais baixos, para economizar na hospedagem. Sarah, que escrevia para um *site* estabelecido de viagens de luxo, também conseguiu para nós

11. MAIO: ENCONTRAR-ME EM LUGARES INCOMUNS

alguns pernoites gratuitos em hotéis em troca de indicações. E usamos códigos de desconto para economizar em passagens da Amtrak e pontos para alugar um carro. Quando partimos, tudo havia sido reservado e não tínhamos pagado preço cheio em nada.

Nossa primeira parada foi Nova York. Encontramos Shannon em um restaurante mexicano perto da Union Square, depois levamos Sarah em sua primeira visita à livraria Strand. Conhecida por conter quase 30 quilômetros de livros (seu lema é "*18 miles of books*"), a Strand era meu lugar favorito para ir sempre que eu visitava a cidade. Sempre passava uma hora, pelo menos, andando pelos corredores, e até esse dia, depois de muitas outras visitas, não acredito que tenha percorrido nem a metade do espaço. Nunca comprei um livro na Strand, porque a maioria das visitas que fiz à cidade foi no período da proibição de compras, inclusive essa. Era como uma piada cruel, um jogo pervertido que eu fazia, mas não conseguia parar. Mesmo que não pudesse comprar nada, ir a Nova York e não visitar a Strand era, para mim, como ir a Paris e não ver a Torre Eiffel. Eu tinha que ir. Tinha que visitá-la.

De Nova York, pegamos o Amtrak para Boston, onde comemos sanduíches de *pastrami* na Sam LaGrassa's e *cannoli* da Mike's Pastry. Tivemos aulas de história ao longo da Freedom Trail, ou Caminho para a Liberdade, e nos emocionamos muito no New England Holocaust Memorial, o Museu do Holocausto, na Nova Inglaterra. Andamos pelas ruas estreitas de Beacon Hill e passamos por fileiras de casas através da Boston Common, depois pela Avenida Commonwealth e até a orla. Quando voltamos ao quarto do hotel naquela noite, fizemos um bule de chá preto, pusemos os pés cansados para cima e comemos sem pressa as carolinas que compramos no Mike's e guardamos para aquele lanchinho noturno, mordida por mordida. Se a viagem tivesse acabado naquele dia, eu teria ficado satisfeita.

No segundo dia, pegamos o trem para Cambridge para visitar a Universidade de Harvard. Não tive a oportunidade de ter uma educação nível Ivy League, mas por um dia poderia fingir e imaginar como teria sido. Tomamos sorvete do lado de fora do *campus*, depois fomos a Harvard Yard para fugir do calor na grama cheia de sombras. Funcionários do *campus*, alunos e turistas passavam apressados por nós em todas as direções. As únicas criaturas que paravam para olhar para nós eram os muitos esquilos de Harvard, que, imagino, torciam em silêncio para ganhar os últimos pedaços das nossas casquinhas de sorvete. Quando terminamos, voltamos ao sol para dar uma volta pelo *campus*, mas não antes de esfregarmos a ponta do sapato esquerdo de John Harvard, para termos sorte.

De Boston, pegamos o trem de volta para Nova York para o fim de semana e decidimos que não poderíamos ir embora sem ver nosso primeiro espetáculo na Broadway. Eu havia estado na cidade quatro vezes, contando com essa, e ainda não tinha entrado em um teatro. É verdade que musicais nunca foram minha opção de entretenimento, mas isso era diferente. Produções na Broadway em Nova York eram especiais. Tem alguma coisa para todo mundo. Ficamos na fila da bilheteria da TKTS discount, que vende ingressos mais baratos, e compramos dois ingressos para *Chicago* naquela noite. Quando chegamos e recebemos o programa, ficamos eufóricas por ver que Brandy Norwood, um dos nossos cantores favoritos na adolescência, fazia parte do elenco no papel de Roxie Hart. Três horas mais tarde, voltávamos saltitantes para o hotel, balançando as mãos e cantando "*All That Jazz*". Ainda cantávamos quando pegamos o carro alugado na manhã seguinte, atravessamos a Times Square e saímos da cidade.

Durante a semana seguinte, Sarah e fomos a lugares que nunca imaginei visitar. Antes da partida, tudo que fizemos foi reservar as acomodações. Sabíamos onde dormiríamos, mas não planejamos

11. MAIO: ENCONTRAR-ME EM LUGARES INCOMUNS

como passaríamos os dias em cada cidade. Quando íamos de Nova York para a Filadélfia, fizemos uma parada aleatória e visitamos partes da Universidade de Princeton. *Vamos fingir pela segunda vez que temos uma educação nível Ivy League por algumas horas!* Aprendemos que a Filadélfia abrigava não só o Sino da Liberdade, mas também alguns dos melhores pratos que comemos no país inteiro. Também descobrimos que o National Mall, em Washington, D.C., não era exatamente um centro comercial, como imaginávamos, mas um parque enorme, com o Lincoln Memorial em uma ponta e o Capitólio na outra, cercados por outros memoriais, museus e Smithsonians. E já contei que atravessei a Times Square dirigindo e sobrevivi para contar a história?

Na Filadélfia e em Washington, a cadeia de hotéis onde Sarah conseguiu acomodações gratuitas para nós era nada mais nada menos que a Ritz-Carlton. Nunca me imaginei hospedada em hotel de luxo. O fato de só conseguir pensar na palavra "luxuoso" para descrever o hotel era prova de que, provavelmente, aquele não era o meu lugar. Entrar no prédio usando minha camiseta de US$ 5 e calça cáqui da Gap só confirmou quanto eu estava deslocada. Mas foi lá que aprendi que hotéis de luxo proporcionam uma experiência inesquecível. Quando chegamos, o valete sabia nossos nomes antes mesmo de o cumprimentarmos. Em nossos quartos, encontramos pratos de doces caseiros com a *hashtag* única que usávamos no Instagram escrita com cobertura de chocolate: #sarahandcatiegoeast. Quando voltávamos ao quarto todas as noites, as camas estavam prontas para deitarmos: a governança havia fechado as cortinas, acendido o abajur sobre o criado-mudo, puxado as cobertas e deixado um punhado de chocolates sobre o travesseiro. Sarah estava acostumada com o serviço, mas eu nem sabia que aquilo existia até essa viagem.

Em um de nossos últimos dias, vimos um arco-íris surgir quando o sol começava a se pôr sobre a orla de Georgetown, e percebi que finalmente começava a me sentir bem. Não ficava feliz todos os minutos do dia. Tinha chorado um pouco no trem de Boston para Nova York e trocado algumas mensagens preocupadas com Alli. Mas estava bem. Na estrada com Sarah, sorri, brinquei, ri, dancei e cantei de novo. Havia tirado a folga de que precisava. Mais importante, tinha me colocado em primeiro lugar. Superei a sensação de que devia alguma coisa a alguém ou de que podia ser alguém para todo mundo. Fiz o que queria quando queria. Pus minha felicidade em primeiro lugar. E estava bem. As fotos que tiramos daquele momento eram bonitas, e estão penduradas no meu coração desde então.

A cada quilômetro que percorríamos e a cada cidade que visitávamos, eu percebia que tinha que ser grata à proibição de compras por me trazer até aqui e por ter me permitido viajar tanto naquele ano. Desde que era adolescente e me preparava para terminar o ensino médio, eu anunciava meu desejo de ver mais do mundo, mas era como se nunca tivesse dinheiro para isso. Antes desse ano, a única viagem internacional que fiz sem a família (e não foi para trabalhar ou ir a uma conferência) foi a Las Vegas para um fim de semana com amigas, e só foi possível porque Vegas costumava ser incrivelmente barata. Minhas amigas contavam os detalhes de suas venturas pela Europa, sudeste da Ásia, Austrália e Nova Zelândia, enquanto eu recusava viagens para Costa Rica, Nicarágua e República Dominicana. Meu argumento, na época, era sempre a falta de dinheiro. Era verdade. Quando olhava o extrato da minha conta, era verdade. Mas se olhasse para o meu apartamento, em vez disso, teria visto que tinha dinheiro, ou tinha acesso a crédito, pelo menos. Só estava escolhendo gastar com outras coisas.

Eu sempre alegava também que não podia me afastar do trabalho, e certamente não podia me dar ao luxo de tirar licença sem remuneração. Acreditava que precisava ganhar mais para poder comprar

11. MAIO: ENCONTRAR-ME EM LUGARES INCOMUNS

mais do que eu queria. E depois queria mais coisas, o que significava que precisava ganhar ainda mais dinheiro. Esse ciclo me deu muitas coisas, uma dívida enorme e não muito mais. De repente me dei conta de que não conseguia lembrar da maioria das coisas de que me havia desfeito nos últimos onze meses, mas lembrava detalhes de cada viagem que havia feito. Não precisava comprar *souvenires*. Seria capaz de lembrar o sabor da comida, ver as atrações e lembrar a sensação do sol em minha pele em cada uma delas para sempre. Isso era o que eu queria desde a adolescência, e finalmente tinha. Finalmente começava a viver como sempre havia sonhado.

Na última noite de nossa viagem, Sarah e eu sentamos na cama com os *laptops* abertos, digitando artigos que precisávamos entregar aos clientes, marcando visitas e reuniões para a semana seguinte. Sarah havia dado o passo final e se demitido do emprego para ser autônoma quase um ano antes, e era uma constante fonte de inspiração para mim. Ela era a definição do que eu esperava que fosse meu "sucesso" no futuro: trabalhar nas horas em que fosse mais produtiva, passar mais tempo com as pessoas amadas e viajar pelo mundo. Perguntei se ela achava que eu conseguiria mesmo trabalhar como autônoma. "Estabelecer conexões com as pessoas é seu superpoder, Cait", ela respondeu, e repetiu a mesma coisa que meu pai havia dito: "Você vai ser um sucesso!".

Durante a viagem de volta a Nova York, onde pegaríamos o voo para casa, recebi um *e-mail* com uma oferta irrecusável. Depois de contar a tanta gente que planejava construir uma carreira independente em breve, um dos meus clientes escrevia para informar que tinha trabalho suficiente para me manter ocupada até o fim do ano. Eu poderia começar assim que estivesse disponível, e poderia trabalhar quanto quisesse. "A proposta interessa a você?" Honestamente, eu não sabia. Não era exatamente o tipo de trabalho que eu queria abraçar de imediato, e não pagava nem perto do que eu poderia ganhar com outros clientes. Mas eu sabia o que a oferta realmente representava: uma oportunidade de sair, me demitir. Eu ainda tinha medo de dar esse passo. Não tinha certeza de que estava pronta e não sabia o que faria se esse cliente me dispensasse, ou se um dos meus outros clientes me dispensasse no futuro. A única coisa de que tinha certeza era que, graças a todo o trabalho *freelancer* que havia começado a fazer, tinha guardado dinheiro suficiente para me sustentar até o fim do ano, pelo menos. E mesmo que só conseguisse trabalhar como autônoma até lá, não valeria a pena?

Quando cheguei em casa, telefonei para minha chefe e dei aviso prévio de trinta dias. Quando a proibição de compras chegasse ao fim, eu estaria livre.

12

Junho:
Fazer as malas e mudar

Meses sóbria: 29
Renda economizada: 42%
Total de objetos eliminados: 70%
Confiança de que posso concluir esse projeto: 100%

As últimas semanas da proibição de compras trouxeram mais insegurança do que eu havia sentido durante o ano todo, mas dessa vez eu me alimentei dela. Acordava de manhã e sentia a adrenalina me inundar, sabendo que estava um dia mais perto de ser minha própria chefe. Isso me fazia andar pelo apartamento na ponta dos pés e, de vez em quando, eu me pegava dançando na cozinha enquanto esperava o café ficar pronto. Sentava-me um pouco mais ereta para trabalhar enquanto ia eliminando cada tarefa da lista de afazeres. Com os ombros erguidos, respirava fundo e enchia os pulmões e o corpo de esperança. O fim estava próximo, e eu finalmente poderia respirar de novo.

    Até aquele ponto, algumas coisas que mais aprendi a amar em mim só se tornaram evidentes quando eu estava mudando minha vida. Sair do buraco da dívida me mostrou quanta determinação eu tinha. Viver com um orçamento apertado provou que eu tinha muito mais recursos. Assumir o controle sobre minha saúde confirmou que eu estava, de fato, no controle de meu corpo e de minha disposição mental. Não ingerir álcool continuou me ensinado que eu não precisava estar alterada para ter graça ou ser engraçada. E deixar de comprar por um ano demonstrou que eu tinha mais força de vontade do que imaginava, e me sentia mais feliz quando minha atenção não estava focada no que poderia adquirir. Cada um desses desafios me obrigou a ajustar hábitos e sair da zona de conforto. Tive preocupações e medos diferentes em cada um deles, mas muitos derivaram da mesma coisa: mudança, e a incerteza que a acompanha. Pedir demissão do emprego e trabalhar como autônoma não seria diferente, mas eu estava preparada para isso.

    Ainda assim, isso não significa que não estava com medo. Para cada vez que me pegava dançando na cozinha, havia outra em que parava e me perguntava do que tinha acabado de abrir mão. Trabalho estável e salário regular. Eu administrava os números em vários cenários diferentes de quanto poderia ganhar por mês e via como isso ia afetar meu orçamento e meus planos. Depois via quanto havia economizado – só US$ 1.000 menos que meu objetivo original – e lembrava que poderia dar certo. Tinha me dado cinco meses para economizar o valor que queria, e havia juntado a maior parte dessa quantia em apenas três meses. Economizar para alguma coisa era fácil agora que eu tinha um objetivo. Eu estava determinada e tinha muitos recursos, poderia fazer isso dar certo.

12. JUNHO: FAZER AS MALAS E MUDAR

A coisa que eu mais temia não tinha nada a ver com os números. Era o ato de telefonar para minha chefe e pedir demissão. Ela havia assumido um risco comigo, e acho que sempre vou sentir que tenho uma dívida com ela por isso. Mas ela também era minha amiga e uma incrível referência para todo mundo, não só para as mulheres, que um dia desejaria ter o próprio negócio. Ela me ensinou o lado financeiro das coisas, é claro. Mas também me mostrou como era importante trabalhar com pessoas que eu amava e que amavam o que faziam. O jeito como era capaz de mudar o assunto em uma reunião, passar de acordos de seis dígitos para o último episódio de um *reality show*, demonstrava que ninguém deveria se levar muito a sério. E nossas ligações de última hora, quando ela me fazia rever os pontos a serem ressaltados antes de ela entrar ao vivo em uma entrevista, eram só um de seus jeitos de mostrar quanto era importante pedir ajuda. Eu nunca havia trabalhado com alguém como ela antes. Pensando em todos os empregos anteriores, fazia sentido que os tivesse deixado sempre no mesmo estado de apatia. Eu não era desafiada e não estava aprendendo, e não estava crescendo, portanto. Ela me mostrou que era possível experimentar todas essas coisas em um emprego, ser desafiada, aprender, crescer, e eu as experimentaria novamente todos os dias depois de ir embora. Havia sido feliz por muito tempo naquela posição, e nunca imaginei que me demitiria, principalmente para ser autônoma. Trabalhar por conta própria nunca havia sido parte do plano. Mas agora eu me perguntava se esse não havia sido sempre meu destino. Se assumir um risco uma com a outra, aprender com ela e seguir em frente sozinha não era exatamente o que tinha que acontecer. Ela confirmou essa ideia quando contei meus planos. "Sempre soube que receberia essa ligação um dia, Cait." Eu podia sentir seu sorriso pelo telefone.

Foi um mês frenético para nós. Começamos o processo de recrutamento do meu substituto, mas, com férias programadas, a decisão definitiva só seria tomada semanas depois de eu ter me desligado. Nesse período, treinei várias pessoas da equipe para quem passaria minhas atribuições, criei documentos relacionando minhas tarefas para o novo editor e planejei um processo no qual nossos *freelancer*rs poderiam trabalhar nesse ínterim. Essa foi a primeira vez em meses que senti que minhas habilidades de organização eram bem utilizadas.

Com a data do meu desligamento se aproximando, eu não conseguia impedir que meus pensamentos se desviassem do trabalho para as dúvidas em relação ao futuro. Como seriam meus dias? Eu conseguiria direcionar mais energia para o *blog*? Como equilibraria essa atividade com o trabalho de *freelancer*? Como seria se um cliente me dispensasse? O que eu faria se todos os clientes me dispensassem? Sempre que esses pensamentos me levavam por essa linha de raciocínio, eu olhava os números e lembrava que iria ficar bem. Tinha trabalho suficiente agendado para sobreviver até o fim do ano. Não sabia o que aconteceria depois disso, mas, se conseguisse viver desse jeito mesmo que só por seis meses, teria valido a pena. Viver com tantas incertezas não seria fácil, mas eu já havia feito isso antes. De fato, era o que fazia desde que parei de beber. "Viver um dia de cada vez / Apreciar um momento de cada vez."

Meu último dia no trabalho foi 26 de junho de 2015. Depois de esvaziar minha caixa de *e-mails*, tirei o lembrete que estava preso no computador desde abril. O primeiro dia de julho não só era uma meta elástica, como também parecia uma façanha impossível em abril. Eu já deveria saber que qualquer coisa era possível se eu fizesse dela uma prioridade.

12. JUNHO: FAZER AS MALAS E MUDAR

Ao mesmo tempo em que me demiti do emprego, comecei a pensar em voltar a morar em minha cidade natal. Tinha saído de Victoria em 2012 por causa desse emprego, imaginando que não conseguiria voltar antes de me aposentar. Sempre acreditei que o único jeito de ter uma vida bem-sucedida seria subir os degraus de uma carreira corporativa, o que era impossível em Victoria. A cidade era governamental, e eu não queria voltar a isso. Também não queria um emprego no qual só pensasse em ter uma promoção e um aumento de salário por ano, e, quando se vive em uma cidade grande, a sensação é de que se trabalha apenas por isso. Mais trabalho, mais dinheiro, mais coisas. Eu não queria nada disso. E agora, não precisava de nada disso. Só precisava ganhar dinheiro para viver, economizar e, de vez em quando, viajar, e a proibição de compras havia me mostrado exatamente quanto isso custaria.

Outro motivo que me fazia pensar em voltar era o ritmo de vida mais lento em uma cidade pequena, onde há sempre diversas comunidades cujas pessoas se sentem gratas por todas as pequenas coisas que a vida tem a oferecer. Eu queria me cercar de gente que desse mais valor à vida do que ao trabalho, a passar um tempo ao ar livre do que ao tempo *online*, e a fazer as próprias coisas a pagar por toda conveniência possível. Tinha me mudado para Toronto e, posteriormente, para a Grande Vancouver por acreditar que precisava estar em uma cidade grande para construir um nome e uma carreira, mas nunca parei para pensar se era isso mesmo que queria. Não era. Agora eu sabia quais eram meus valores, e queria viver em uma cidade com pessoas que compartilhassem deles. Além do mais, se ia trabalhar como autônoma, poderia morar em qualquer lugar. Por que iria querer estar na mesma cidade em que estava minha família e meus amigos? Não sabia se ficaria lá para sempre, mas também sabia que nada dura para sempre. Se iria continuar vivendo um dia de cada vez, era lá que queria viver.

Quando comecei a fazer as malas e pensar no último ano, dei risada de quanto todo esse experimento deveria ter parecido ridículo, no início, para as pessoas que eu amava. Primeiro falei que não compraria nada durante um ano, o que foi recebido, naturalmente, com estranheza e perguntas. Depois acrescentei mais uma informação: eu também pretendia me livrar de tudo que tinha e não usava ou amava. Na época, não conseguia criar um argumento bem formulado para justificar como as duas coisas estavam relacionadas ou por que queria as duas ao mesmo tempo. Havia simplesmente usado esta frase no *blog*: "Ainda não sou a consumidora consciente que gostaria de ser". Não sabia qual era o objetivo final, ou com o que estava me comprometendo. Só comecei a andar com passos decididos e sem bússola, como costumava fazer, e torci pelo melhor.

Ao me desafiar a não fazer compras durante um ano, me preparei para o fracasso ou para o ano mais próspero de minha vida, e me sinto feliz em dizer que foi a segunda opção. Durante toda a jornada, fui obrigada a reduzir o ritmo, descobrir meus gatilhos para gastar dinheiro e consumir em excesso e encarar e mudar maus hábitos. Abri mão de coisas que os publicitários tentam nos convencer a querer: o mais novo e o maior de tudo, qualquer coisa que possa resolver nossos problemas e tudo que estiver na moda. Troquei tudo isso por necessidades básicas e, depois de um ano sem poder comprar nada novo, percebi que isso era tudo de que precisava. Isso era tudo de que todo mundo precisava. Sempre estive presa no ciclo de querer mais, comprar mais e depois precisar de mais dinheiro. A proibição expôs a verdade: quando você decide querer menos, pode comprar menos e, no fim, precisar de menos dinheiro.

12. JUNHO: FAZER AS MALAS E MUDAR

Desentulhar e me desfazer de 70% das coisas que eu tinha trouxe lições diferentes. Percebi que tinha passado os primeiros 29 anos da minha vida fazendo e comprando tudo que podia para ser alguém que eu achava que deveria ser. Guardava tantas coisas, e consumia as coisas erradas, porque nunca me senti boa o bastante. Não era inteligente o bastante, profissional o bastante, talentosa o bastante ou criativa o bastante. Não acreditava que quem eu era ou o que tinha a oferecer em qualquer situação já era singular, então comprava coisas que poderiam me tornar melhor. Passei um ano organizando a bagunça e descobrindo quem eu realmente era. Uma escritora e leitora. Viajante e praticante de trilhas. Dona de cachorro e amante dos animais. Irmã, filha e amiga. Descobri que nunca dei valor para objetos, coisas materiais. Valorizava as pessoas e as experiências que compartilhava com elas. Nada disso podia ser encontrado nos meus pertences. Tudo isso sempre havia estado em meu coração.

Se eu tivesse simplesmente parado de comprar por um ano, poderia ter aprendido muito sobre mim mesma como consumidora. E se tivesse só desentulhado minha casa, poderia ter aprendido muito sobre meus interesses. Mas enfrentar os dois desafios ao mesmo tempo foi importante porque me forçou a parar de viver no piloto automático e começar a questionar minhas decisões. Quem era eu? Em que eu já era boa? Com o que me importava? O que realmente queria nessa vida? A história familiar demonstrava que, com sorte, eu passaria uns 85 anos nesse planeta. O que queria fazer com eles? Sempre teria que pagar pelas coisas, como sempre teria que comer e beber água para sobreviver. Esse era um fato da vida. Mas era privilegiada o bastante para estar em uma posição na qual podia escolher em que gastar dinheiro e o que colocar em meu corpo. Essa percepção não só me ajudou a ser uma consumidora mais consciente e economizar dinheiro com isso, como também expandiu a capacidade de me importar com outras pessoas e me sentir grata pelas coisas simples.

    Às vezes ainda penso em como a vida teria sido se eu tivesse feito as coisas de outro jeito. Se tivesse seguido todos os conselhos de meu pai quando era mais nova e sido mais responsável com meu dinheiro. Tenho feito a mesma pergunta com relação às minhas tendências de consumo, em especial com relação ao hábito de beber. Como a vida teria sido se eu não tivesse caído nessas armadilhas? Depois lembro que tive de cometer esses erros e aprender essas lições para me tornar a pessoa que sou hoje. Isso não significa que a energia de meus pais foi desperdiçada. Se consegui chegar a muitas dessas conclusões com vinte e poucos anos, provavelmente foi por causa de tudo que eles me ensinaram enquanto me criavam. Quando o instinto me avisou que eu estava fazendo alguma coisa que era ruim para mim, devo crer que foi, em parte, graças aos meus pais. Ainda assim, eu cometeria alguns erros. Só percebi o que realmente queria depois de ir atrás de todas as coisas que achava que deveria ter.

    Quando comecei esse desafio, tinha a ver com gastar. Com o dinheiro. Foi aí que essa história começou, e foi aí que muitas histórias começaram. E do mesmo jeito que a sobriedade me ajudou a economizar dinheiro a cada ano, a proibição de compras também teve o mesmo efeito. Mas agora sei que nunca teve a ver com dinheiro, na verdade. O melhor presente que a proibição de compras me deu foram as ferramentas para assumir o controle da minha vida e recomeçar a vida como meu verdadeiro eu. Isso me desafiou. Virou minha vida de cabeça para baixo. Ajudou-me a economizar US$ 17 mil em um só ano. E me salvou.

❀

12. JUNHO: FAZER AS MALAS E MUDAR

Enquanto continuava arrumando as malas, vi meu reflexo no espelho grande da sala de jantar e percebi que não estava usando nenhuma maquiagem. Antes da proibição, eu não teria me atrevido a sair de casa sem o básico no rosto: delineador, sombra e rímel. Pensar que as pessoas veriam quanto eu parecia cansada era assustador. Agora não conseguia lembrar a última vez que passei alguma coisa no rosto, exceto hidratante. Isso também nunca foi parte do plano. Eu não tinha opinião formada sobre se as mulheres deveriam ou não se maquiar, não mais do que sobre em que as pessoas deveriam gastar seu dinheiro. Era uma decisão pessoal, e eu não planejava me tornar alguém que abriria mão disso. Mas uma coisa que aprendi muitas vezes é que cada pequena mudança que você faz traz rendimentos com juros. Ajuda a fazer outra mudança, outra alteração de disposição mental, outra disposição de viver de um jeito novo. Se voltar a usar maquiagem no futuro, não vai ser para impedir que as pessoas vejam a verdadeira eu, mas simplesmente por *mim*.

Levei poucas horas para terminar de arrumar minhas coisas agora que tinha apenas 30% de tudo que um dia havia existido em minha casa. Além da mobília, meus objetos couberam em oito caixas pequenas, e todo o meu guarda-roupa, reduzido a 29 peças no total, coube em uma única mala. Dessa vez eu estava feliz levando tudo de uma casa para outra, porque sabia exatamente o que havia dentro de cada caixa. Depois que todo o resto foi ensacado e doado, tudo que restou foi a verdadeira eu. Não era muito, mas era o suficiente.

Era o suficiente. Eu tinha o suficiente.

Eu era suficiente.

EPÍLOGO

A proibição de compras terminou no dia 6 de julho de 2015. Ao longo daquele ano, vivi com 51% do meu rendimento (US$ 28 mil), em média, economizei 31% (US$ 17 mil) e gastei os outros 18% (US$ 10 mil) em viagens. Provei que podia viver com menos, economizar mais e fazer mais do que eu gostava, e aprendi muitas outras lições com esse processo. Poderia ter saído dele com a sensação de que foi um sucesso. *Eu* era um sucesso. Em vez disso, publiquei um *post* no *blog* no dia seguinte (meu trigésimo aniversário) anunciando que manteria tudo como estava por mais um ano.

As regras eram essencialmente as mesmas, mas dessa vez queria fazer uma coisa que me arrependi de não ter feito no primeiro ano: registrar cada objeto comprado e consumido. A ideia de anotar quantos tubos de creme dental eu usava não trouxe alegria, como diria Marie Kondo, mas eu queria acrescentar alguns dados à minha pesquisa e mostrar aos leitores o que uma consumidora comum poderia precisar comprar em um ano. Não sabia o que esperar, mas presumi que usaria muito menos do que pensava, e estava certa. Por exemplo, foram cinco tubos de desodorante, quatro de creme dental, duas embalagens de xampu e duas de condicionador. Saber disso sobre mim mesma não é necessariamente uma grande revelação, mas me impede de pensar que tenho que voltar a estocar produtos de higiene pessoal.

Outro motivo para eu querer continuar com a proibição foi não ter tirado proveito das novas regras que criei em janeiro. Nunca fiquei sem produtos de limpeza ou sabão para roupa, por isso não precisei fazer nenhum dos dois. Também não tinha feito velas ou plantado uma horta, porque optei por viver sem essas coisas. Mas quando me mudei para Victoria, tive certeza de que queria aceitar esses desafios. Plantei uma pequena horta e descobri que não tenho jeito para isso, mas fiquei feliz por ter tentado. Algumas pessoas nasceram para cuidar só de cactos e suculentas.

Com relação a me desfazer de objetos, continuei ensacando e doando coisas que não usava, e me livrei de 75% a 80% das coisas que tinha. A pergunta que ouço mais frequentemente sobre isso é se não tem nada que tenha me arrependido de doar, e a resposta é não. Na verdade, nem lembro do que era a maioria daquelas coisas. Uma coisa que lembro de ter vendido no segundo ano da proibição de compras foi uma bolsa de grife que sempre me senti constrangida de levar pendurada no ombro. Se você algum dia me encontrar, vai ver uma mulher que usa a mesma *legging* preta e camisas de flanela quase todos os dias. Não sou o tipo de pessoa que liga para marcas, mas guardei aquela bolsa por anos porque parecia ser uma coisa que a Cait profissional deveria usar. Quando o segundo ano de proibição de compras chegou ao fim, eu a troquei por uma mochila de sessenta litros que poderia usar quando viajava para fazer trilhas. Isso é uma coisa que nunca vou sentir vergonha de ter.

Viajar continua sendo a única coisa em que aprecio gastar dinheiro. No segundo ano da proibição, viajei para Portland, Oregon; Charlotte, Carolina do Norte; Toronto, Winnipeg, Salt Spring Island, Galiano Island, Tofino e Vancouver; e fui várias vezes a Squamish (para onde me mudaria depois de um tempo). E depois disso, fiz uma viagem de sete semanas pelos Estados Unidos sozinha. Embora tenha liberdade e dinheiro para fazer alguma coisa "maior", como morar em outro país por alguns meses e trabalhar de lá, percebi que

EPÍLOGO

queria explorar a América do Norte primeiro. É muito fácil ignorar seu ambiente e dar a ele menos importância do que tem, e tenho a sorte de morar em uma das áreas mais bonitas desse continente.

Quando o segundo ano acabou, decidi não repetir o experimento, mas só porque ele havia se tornado um estilo de vida. Não faço inventário (felizmente, nunca fiz depois do primeiro), mas só compro coisas quando preciso delas, e nunca porque estão em liquidação apenas. Você pode achar que isso significa que gasto mais quando compro. Porém, é o contrário, porque não gasto dinheiro com nada. Cada compra que faço é cuidadosamente considerada, não é feita por impulso. Não fiz uma compra inconsciente desde a *Black Friday* de 2014 (e quase nem usei meu velho *e-reader* desde então). Agora compro livros de vez em quando, mas só se for para ler imediatamente, e costumo passá-los para um amigo ou doar para a biblioteca local depois de ler.

Minha família vai bem. Ainda estamos tentando entender como é esse novo normal, mas estamos fazendo isso juntos, como eu deveria ter acreditado desde o início que seria. Lamento informar que "as meninas" – nossas amadas cachorras – morreram em maio de 2017, mas viveram seus últimos anos na casa de nossa família e foram amadas até o fim.

Quanto ao trabalho, ainda sou minha própria chefe, e tenho que me lembrar continuamente que não tenho como prever o que o futuro reserva, e tudo bem. Não sei o que vai acontecer a seguir. Não sei que trabalho vou fazer, quanto vou ganhar ou para onde vou viajar. Eu nem sabia que teria a oportunidade de escrever este livro até acontecer. Tudo que sei é que estou satisfeita com a vida como ela é. Estou sóbria há cinco anos, e tenho confiança de que nunca mais vou beber de novo, independentemente do que a vida me trouxer.

Hoje me considero uma ex-consumidora compulsiva transformada em consumidora consciente de tudo. Continuo fazendo experiências para consumir menos coisas das quais não extraio nenhum valor, e fiz, inclusive, um *detox* de trinta dias das mídias sociais e mais um mês sem televisão. Com relação a esses experimentos ou à proibição de compras, ainda ouço os comentários preocupados de algumas pessoas sobre como uma proibição pode ser restritiva. Entendo como é fácil se preocupar com isso, mas meu conselho é sempre o mesmo: lembre-se de que tudo com que está se comprometendo é ir mais devagar e se perguntar o que realmente quer, em vez de agir por impulso. É isso. Ser um consumidor "consciente" tem a ver com isso.

Uma das maiores lições que aprendi durante esses anos é que, sempre que você pensa em cometer excessos, é porque sente falta de alguma coisa em você ou na sua vida, e nada do que beba, coma ou compre pode reparar essa falta. Eu sei, porque já tentei, e nada funcionou. Em vez disso, você precisa simplificar, se despir de coisas e entender o que está realmente acontecendo. Cair no ciclo de querer mais, consumir mais e precisar de mais não vai ajudar.

Mais nunca foi a resposta. A resposta, eu descobri, sempre foi menos.

SEU GUIA PARA MENOS

Oi, amigo:

Se ler minha história o inspirou a fazer uma experiência semelhante, deixe-me dizer uma coisa antes: estou muito empolgada por você! Um desafio como esse não é fácil, mas sei que é possível chegar ao fim dele com a sensação de ter modificado seus hábitos de consumo e compreendido o que você mais valoriza na vida.

Digo isso e sei que começar um desafio como esse e concluí-lo com sucesso são duas coisas diferentes. Há imprevistos para os quais se preparar, objetivos e regras pessoais a estabelecer e até outras pessoas a considerar. Durante o experimento, você pode perceber coisas sobre si mesmo que sempre estiveram presentes, mas ficaram escondidas em segurança atrás de seu poder de compra. E se insistir nisso por tempo suficiente, meu palpite é que vai ter mais recursos do que sabia que poderia ter.

Quero que você chegue a esse ponto. Não quero que nenhum dos imprevistos o impeça de prosseguir, provoque uma recaída ou o faça desistir completamente da sua experiência. Quero que supere cada um deles e todos de forma que possa descobrir mais sobre você e encontrar maneiras criativas de seguir por esse mundo sem abrir a carteira. Seus objetivos financeiros podem ser gastar menos, economizar mais dinheiro de maneira geral, economizar para alguma coisa específica ou simplesmente se tornar um consumidor mais consciente.

Meu objetivo com este guia é ajudar você a se organizar e seguir até o fim de forma que possa alcançar seu objetivo, seja ele qual for.

Antes de começar, sugiro que passe algum tempo pensando em uma coisa: a razão pela qual quer enfrentar um desafio como esse. Algumas pessoas chamam de seu "porquê". Pode ser o mesmo motivo pelo qual você faz qualquer coisa na vida, ou pode ser muito específico desse desafio. Se você precisa de ajuda para determinar seu porquê, considere em que ponto se encontra na jornada de sua vida e faça essas perguntas a você mesmo. O que quer agora? O que quer extrair da vida? Que marca quer deixar no mundo? E por quê?

Durante o desafio, sugiro também que mantenha uma lista dos seus valores. Seus valores não devem ser suas aspirações. Confundir os dois é só um dos motivos pelos quais eu costumava comprar coisas para minha versão ideal. Em vez disso, seus valores podem ser definidos como seus princípios ou padrões de comportamento e seu julgamento sobre o que é importante na vida. Sempre que você perceber um de seus valores, acrescente-o à lista. Mantenha essa relação por perto (talvez até na carteira).

Quando concluir seu experimento, minha esperança é de que esteja vivendo de um jeito que alinhe seus objetivos e valores, e que seu orçamento também se alinhe a eles. Quando tudo funciona junto, é muito mais fácil encontrar paz interior, reconhecimento e gratidão por tudo que você tem.

Boa sorte!

1. DESENTULHE SUA CASA

Antes de começar uma proibição de compras por qualquer período, sugiro que examine sua casa e se livre de tudo que não tem um objetivo em sua vida. Não é só organizar suas coisas, é analisá-las, se perguntar o que quer conservar e abrir mão do resto. Tenho certeza de que isso parece contraintuitivo em alguma medida. Você não vai poder comprar por três meses, seis meses ou um ano, e ainda vai se livrar das coisas que tem? Mas fazer essa limpeza antes pode abrir seus olhos para as coisas em que desperdiçou dinheiro no passado, o que pode ser uma motivação para não gastar mais durante a proibição de compras. Também vai servir como um lembrete visual de quanta coisa você está conservando.

2. FAÇA UM INVENTÁRIO

É fácil esquecer quanta coisa você tem quando tudo está dentro de armários, gavetas e caixas. Enquanto estiver fazendo a limpeza, sugiro que também faça um inventário das coisas que tem em maior quantidade. Não precisa ser tão exato quanto eu fui, porque literalmente anotei coisas como quantas canetas eu tinha. Em vez disso, experimente ir a cada cômodo de sua casa e anotar os cinco itens que tem em maior quantidade. Por exemplo, no banheiro, você pode ter muito xampu, condicionador, loção, creme dental e desodorante. Faça um inventário desses produtos e anote o número que tem "em estoque". Essas são algumas das coisas que não vai poder comprar durante o período da proibição de compras, não enquanto não ficar sem e precisar de mais.

3. FAÇA TRÊS LISTAS

Quando estiver fazendo a limpeza e o inventário, duas coisas devem começar a ficar claras: há coisas em sua casa que você não precisa comprar mais, e também há coisas que, provavelmente, você vai precisar comprar durante a proibição. Nesse ponto, é hora de fazer três listas.

- **A lista dos essenciais:*** essa é uma lista de coisas que você pode comprar sempre que ficar sem elas. O jeito mais fácil de criar essa lista é andar por sua casa e olhar o que você usa em todos os cômodos todos os dias. Para mim, isso incluía coisas como alimentos e higiene pessoal. Também incluía presentes para outras pessoas.

- **A lista dos não essenciais:*** essa é uma lista de coisas que você não pode comprar durante a proibição. Para mim, ela incluía coisas de que achava que ia gostar, mas que não usava todos os dias, como livros, revistas e velas. Se você fez o inventário de algum desses objetos, inclua a quantidade ao lado da referência.

- **A lista aprovada de compras:*** essa é uma lista de coisas específicas que você pode comprar durante a proibição. Quando fizer a limpeza e o inventário de tudo que tem, pense no que vai acontecer no período da proibição e imagine o que pode ser necessário acrescentar a essa lista.

*Note que não incluí nenhum custo de "experiências", como comer fora ou sair de férias. Se quiser incluir esses itens em uma das listas, você pode! Mas não é obrigatório. Adicionei café para viagem à minha lista de coisas não essenciais, simplesmente porque não me sentia mais confortável gastando tanto dinheiro com isso. Porém, ainda me permitia ir a restaurantes de vez em quando. Lembre, sua proibição deve ser única para você.

4. CANCELE A ASSINATURA DE TODOS OS INFORMATIVOS DE DESCONTOS/CUPONS

Agora que tem suas três listas de todas as coisas que pode e não pode comprar, é hora de remover o máximo possível de tentações, começando pelo que chega na sua caixa de *e-mail*. Sempre que receber um informativo de loja ou serviço que queira seu dinheiro, clique em cancelar a assinatura. Se quiser levar essa etapa um passo adiante, sugiro deixar de seguir todas as suas lojas preferidas nas mídias sociais. E se quiser levar essa etapa mais um passo adiante, sugiro também deletar todos os favoritos onde marcou coisas que gostaria de comprar "um dia". Longe dos olhos, longe do coração, meu amigo.

5. ABRA UMA CONTA-POUPANÇA DA PROIBIÇÃO DE COMPRAS

Qualquer que seja seu objetivo final, você vai economizar dinheiro deixando de comprar. O que faz com esse dinheiro é decisão sua, mas sugiro a abertura de uma nova conta-poupança (ou dar um novo nome para uma conta que você não use) e a criação de sua Conta-Poupança Proibição de Compras. Quanto vai depositar nela todos os meses é decisão sua. Comecei depositando US$ 100 por mês, porque sabia que estava economizando essa quantia deixando de comprar café para viagem. Outra ideia é transferir todo dinheiro que deixar de gastar ao não ceder ao impulso de comprar. Finalmente, você também pode depositar o dinheiro que angariar vendendo as coisas de que se desfez.

Se quiser um lembrete extra para não gastar dinheiro, cole um adesivo em cada cartão de débito e crédito em sua carteira com um aviso de que está em período de proibição de compras. Escreva alguma coisa do tipo "Você precisa mesmo disso?" ou "Está na sua lista de compras?".

6. CONTE A TODO MUNDO QUE CONHECE

Comece contando à família, ao companheiro e/ou filhos, em especial a qualquer pessoa que viva na mesma casa que você e que faça parte do seu orçamento doméstico. Com base nessas conversas, vocês vão precisar decidir juntos se isso é uma coisa de que todo mundo vai participar ou se você vai dar o exemplo e começar sozinho. Pode haver alguma resistência se você quiser todo mundo participando, então, não imponha a ideia. O mais importante, por enquanto, é garantir que eles saibam de suas intenções de não comprar nada além do essencial por um período. Explique quais são seus objetivos, como acha que isso pode ajudar você e sua família, e até estabeleça alguns objetivos para o dinheiro que vai economizar.

Depois disso, conte às pessoas com quem passa mais tempo. Quanto mais gente souber, maior é a probabilidade de respeitar sua proibição de compras, porque vai sentir necessidade de cumprir o compromisso com você e com os outros. E sugiro que tenha pelo menos um parceiro comprometido para quem possa ligar ou mandar mensagens sempre que sentir o impulso de comprar, de forma que ele possa impedi-lo.

7. SUBSTITUA HÁBITOS CAROS POR ALTERNATIVAS GRATUITAS OU BARATAS

Uma das principais preocupações que as pessoas que consideram adotar proibições de compras compartilham comigo é não saber como podem substituir seus hábitos caros, principalmente quando envolvem outras pessoas. Dizer às pessoas "não posso fazer compras" ou "não posso sair para comer fora e beber" (se cortar gastos com restaurantes fizer parte da sua proibição) nem sempre é uma conversa divertida. Porém, se você se dispuser a sugerir alternativas gratuitas ou baratas, acho que vai se surpreender com como as pessoas ficam felizes por fazer alguma coisa que poupe alguns dólares. Por exemplo, em vez de andar pelo *shopping* ou ir a um *outlet*, vá fazer uma trilha ou explorar a pé áreas do seu bairro. E em vez de sair para comer e beber, sugiro organizar churrascos ou refeições para as quais todo mundo contribua levando alguma coisa.

8. PRESTE ATENÇÃO AOS SEUS GATILHOS (E MUDE SUAS REAÇÕES)

É aqui que a consciência de si mesmo entra em cena. Quando sentir o impulso de comprar, nem sempre é suficiente mandar uma mensagem a um amigo pedindo para ser impedido. Você precisa parar e considerar tudo que está acontecendo no ambiente nesse momento. Como se sente? Teve um dia ruim? Onde está (e o que o levou até aí)? Com quem está? E que justificativas está dando a si mesmo? Qualquer uma/todas essas coisas podem ser parte do gatilho que o induz a comprar alguma coisa, e identificá-las é extremamente importante para poder mudar suas reações. Se não substituir maus hábitos por bons hábitos, você fica mais propenso a "recair" e voltar aos velhos comportamentos. Quando alguma coisa servir de gatilho, determine o que mais pode fazer, em vez de gastar dinheiro, e faça repetidas vezes, até que isso se incorpore em sua natureza.

9. APRENDA A VIVER SEM / ADQUIRA MAIS RECURSOS

Se vai determinar uma proibição de compras por mais de três meses, pode haver algumas vezes em que vai querer desistir, e o único jeito de superá-las é viver por um tempo sem um objeto. A menos que precise realmente de alguma coisa, tente viver se ela por trinta dias, pelo menos, e veja quantas vezes realmente sente falta disso. Se a falta se tornar um aborrecimento diário, substitua o objeto. Caso contrário, abra mão dele. Além do mais, dependendo de que objeto é esse sem o qual está vivendo, encontrar outras maneiras de consertá-lo ou outras formas de suprir essa necessidade pode ser mais fácil do que pensa. Se não puder atender a essa necessidade sozinho, pegue o objeto emprestado ou alugue. Quanto mais compartilharmos, menos mandaremos para o lixo.

10. APRECIE O QUE TEM

Finalmente, com o passar do tempo, você vai começar a se sentir grato por tudo que faz parte de sua vida no momento. Das roupas no armário aos utensílios na cozinha, usar o que você conservou vai servir para lembrar que o dinheiro já comprou tudo de que você precisa. Seus relacionamentos, a felicidade e a saúde de familiares e amigos serão a prioridade. E uma volta ao ar livre pode ajudar muito a melhorar seu dia. Uma coisa importante que percebi é que o sucesso de sua proibição de compras vai depender das histórias que contar a si mesmo. Se você pensar *isso é uma droga*, provavelmente vai acabar surtando e comprando. Mas se disser "esse objeto é ótimo, mas não preciso dele" e escolher dar valor ao que já tem, meu palpite é que nunca vai querer recuperar as coisas de que abriu mão.

Quando é realmente necessário comprar alguma coisa

Mesmo depois de escrever um livro inteiro sobre passar um ano sem comprar, sei que há momentos durante a proibição de compras quando alguma coisa é necessária e não faz parte da lista aprovada. Quando estiver nessa situação, faça a você mesmo perguntas como as do fluxograma da página 180.

Nota: nem sempre você precisa comprar peças de qualidade. Por exemplo, se seus filhos são pequenos e precisam de roupas novas, opte pelo mais barato ou gratuito sempre que possível, porque eles crescem e as perdem depressa. Mas se está substituindo alguma coisa que usa frequentemente, nem sempre escolha o mais barato. Cometi o erro de comprar peças de *fast fashion* muitas vezes por serem mais baratas, e elas tiveram que ser substituídas novamente em poucos meses.

No fim das contas, lembre-se disto: o sucesso da sua proibição de compras vai depender das histórias que contar a si mesmo enquanto ela estiver em vigor. Se você acha que isso é difícil, corre um risco maior de desistir e até comprar mais depois da proibição. Mas se dá valor ao que tem e realmente usa o que compra, os resultados podem ser transformadores. Minha proibição de compras aliada à gigantesca operação de limpeza e remoção de coisas me ensinou o que considero mais valioso, e nada disso pode ser comprado em uma loja. Espero que chegue ao fim de sua proibição de compras com a mesma compreensão e as mesmas revelações.

SEU GUIA PARA MENOS

FONTES

Neste livro mencionei algumas fontes que ajudaram a me tornar mais consciente durante meu ano do menos. Aqui vai uma relação dessas fontes, mais algumas que passei a amar. Espero que sejam úteis durante seu experimento.

Revista *online*

- Mindful: mindful.org

TED Talks (pequenas palestras)

- "All It Takes Is 10 Mindful Minutes" (Tudo que isso precisa são 10 minutos de mindful) com Andy Puddicombe: ted.com/talks/andy_puddicombe_all_it_takes_is_10_mindful_minutes
- "Listening to Shame" (Ouvir a vergonha) com Brené Brown: ted.com/talks/brene_brown_listening_to_shame

Aplicativos de meditação

- Calm: calm.com
- Headspace: headspace.com

Outros aplicativos

- Cladwell (analise quanto você usa de suas roupas): cladwell.com
- Sortly (faça um inventário de suas coisas): sortlyapp.com

COMUNIDADE

Mesmo quando pensamos que temos todos os recursos e ferramentas em nossa caixa, não há maior ajuda que o apoio de nossa comunidade. Sei que um dos motivos para eu ter sido bem-sucedida em quitar a dívida e concluir o experimento de proibição de compras foi a torcida *online* das pessoas. Minha comunidade não só me deu algo com que me comprometer, como também eu sabia que poderia recorrer a eles sempre que precisasse de um empurrãozinho ou de algumas palavras de incentivo. Quero que você tenha a mesma coisa.

Para todos que assumirem um desafio semelhante no futuro, criei uma comunidade *online* onde podemos compartilhar nossas histórias, vitórias e dificuldades. É um espaço seguro para falarmos sobre nossas experiências, dar sugestões e torcer uns pelos outros. E tem as comemorações. Ah, tem as comemorações!

Junte-se à comunidade e compartilhe sua história em:
caitflanders.com/community

Uma coisa que sempre disse no *blog* é que quanto mais compartilhamos, mais todos nós sabemos, e melhor estaremos. Tenho esperança de que este livro e a comunidade inspirem milhares de outras decisões conscientes no futuro. Mas tudo isso começa com a resposta a uma pergunta: O que *você* realmente quer?

Beijo, Cait

AGRADECIMENTOS

Como todos vocês sabem quanto eu gosto de colocar todas as coisas em ordem, espero que não me julguem por tentar fazer a mesma coisa com esses agradecimentos! Vou começar por como este livro surgiu.

Primeiro, preciso agradecer a Laura por contar minha história à *Forbes*, e ao punhado de agentes literários que leram a matéria e sentiram que o próximo passo era um livro. Fiquei completamente atordoada e nem imaginava como seguir em frente, mas foram aquelas conversas que, em última análise, me trouxeram até aqui.

Serei eternamente grata ao meu amigo Chris por ter me apresentado a sua agente, que acabaria se tornando minha também. Lucinda, este livro não seria o que é sem sua ajuda. Obrigada por ser uma defensora de seu sucesso, e por ter sido sempre honesta e franca comigo.

Não consigo imaginar as histórias pessoais neste livro sendo contadas por nenhuma outra editora além da família Hay House, porque ela é uma família, e fico feliz por terem me adotado. Patty, ouvir você dizer que eu poderia escrever o livro exatamente como o havia esboçado em minha proposta foi um verdadeiro *presente*. E Anne, embora certamente tenha ficado óbvio que não sou uma professora de inglês, você sempre me fez sentir uma boa escritora. Obrigada por respeitar meu estilo e me ajudar a despejar ainda mais de mim mesma nestas páginas.

Acredito piamente que não se pode "fazer tudo", não sozinha ou tudo ao mesmo tempo, pelo menos. Dedicar um tempo a escrever este livro significou me afastar (temporariamente) de dois outros projetos. Eu não teria conseguido sem meus sócios, Carrie e Jay. Obrigada por terem sido flexíveis e me apoiado em cada passo dessa jornada. É uma honra trabalhar com vocês dois, e espero ser para vocês pelo menos metade da sócia que têm sido para mim.

Quando minha editora perguntou se eu queria escrever agradecimentos, honestamente, fiquei sem saber o que mais poderia dizer. Este livro é uma carta de amor à minha família e a todos os amigos que me ajudaram durante esse ano de menos. Mas tem algumas pessoas que quero citar.

Julie, minha tábua de salvação na vida e no trabalho. Escrevemos milhares de palavras sobre nossa amizade, mas agora acho que consigo resumir tudo em uma frase: você é a pessoa com quem posso ser meu verdadeiro eu. Obrigada por todos os cafés da manhã e por todos os intervalos para café e *milk-shake*.

Pascal, meu cúmplice de aventuras ao ar livre. Obrigada por me inspirar a passar mais tempo fora de casa; é nessas condições que me sinto minha melhor versão, e sou grata por dividir isso com você. Mal posso esperar para ver o que *Adventure Tuesday* (Terça-feira de aventura) vai parecer quando formos velhos e grisalhos.

Alyssa, obrigada por reservar espaço para minha dor e me ajudar a sentir menos sozinha. Sei que Toby, Molly e Lexie agora também fazem companhia um ao outro.

Também preciso agradecer a Shannon por me inspirar a ser uma escritora melhor, Amanda, por comemorar cada conquista deste livro comigo, e Marci, por ter sido a primeira pessoa a acreditar que eu poderia escrever um livro.

Sei que não estaria aqui sem todos os meus amigos da comunidade de blogueiros, nem sem as pessoas incríveis que leem meu *blog*. Nunca consegui encontrar as palavras exatas para descrever minha compreensão e o reconhecimento por isso, então, vou dizer só isso: agraço por vocês.

AGRADECIMENTOS

Finalmente, embora este livro já tenha sido uma carta de amor para eles, tenho que agradecer à minha família por sempre ter acreditado em mim. Obrigada por terem acolhido meu amor pela leitura e me incentivado a escrever. Obrigada por terem me dado ideias para livros e imaginado que um dia eu seria uma autora. Não sabia que isso seria possível, mas vocês sabiam. Somos muito sortudos por termos uma família unida como a nossa. Eu estaria perdida sem nós.

E isso inclui você também, Emma. Você é minha família, e eu amo você.

SOBRE A AUTORA

Cait Flanders é ex-consumidora compulsiva transformada em consumidora consciente de tudo. Por meio de histórias pessoais, ela escreve sobre o que acontece quando dinheiro, minimalismo e *mindfulness* (ou desenvolvimento da consciência pessoal) se encontram. A história de Cait foi contada por Oprah.com, *Forbes, Yahoo!, The Guardian, The Globe and Mail,* CBC News e outros veículos. Em seu *blog* caitflanders.com, ela inspira as pessoas a consumir menos e viver mais. Cait mora em Squamish, B.C., Canadá, com seus três amores: as montanhas, a floresta e o oceano.

Livros para mudar o mundo. O seu mundo.

Para conhecer os nossos próximos lançamentos e títulos disponíveis, acesse:

🌐 www.**citadel**.com.br

ƒ /**citadeleditora**

📷 @**citadeleditora**

🐦 @**citadeleditora**

▶ Citadel - Grupo Editorial

Para mais informações ou dúvidas sobre a obra, entre em contato conosco através do e-mail:

✉ contato@**citadel**.com.br